*Crianças francesas
dia a dia*

PAMELA DRUCKERMAN

Crianças francesas dia a dia

Um guia prático com 100 dicas para educar os filhos

Tradução
Regiane Winarski

6ª reimpressão

Copyright © Pamela Druckerman 2013

Grafia atualizada segundo o Acordo Ortográfico da Língua Portuguesa de 1990, que entrou em vigor no Brasil em 2009.

Título original
Bébé Day by Day

Capa
Luciana Gobbo

Ilustrações de capa e miolo
Margaux Motin

Revisão
Cristhiane Ruiz
Fatima Fadel
Joana Milli

CIP-Brasil. Catalogação-na-fonte
Sindicato Nacional dos Editores de Livros, RJ

D856c

    Druckerman, Pamela
        Crianças francesas dia a dia: um guia prático com 100 dicas para educar os filhos / Pamela Druckerman; tradução Regiane Winarski; [ilustrações Margaux Motin.] – 1ª ed. – Rio de Janeiro: Objetiva, 2014.
        il.
        128p.

    Tradução de: *Bébé day by day*
    ISBN 978-85-390-0554-3

    1. Crianças – Formação – França. 2. Pais e filhos – França. 3. Crianças – Formação – Estados Unidos. 4. Pais e filhos – Estados Unidos. I. Motin, Margaux. II. Título.

14-08295   CDD: 649.10944
                                     CDU: 649(44)

[2016]
Todos os direitos desta edição reservados à
EDITORA OBJETIVA LTDA.
Rua Cosme Velho, 103
22241-090 — Rio de Janeiro — RJ
Telefone: (21) 2199-7824
Fax: (21) 2199-7825
www.objetiva.com.br

Para Simon e cada um

Sumário

Introdução — 9

Capítulo um: Um croissant no forno — 15

Capítulo dois: Bebê Einstein — 23

Capítulo três: Dorme, neném — 31

Capítulo quatro: Bebê gourmet — 39

Capítulo cinco: Mais cedo não é melhor — 53

Capítulo seis: Espere um minuto — 61

Capítulo sete: Livre para ser você e *moi* — 71

Capítulo oito: Cherchez la femme — 81

Capítulo nove: Encontrar seu par — 89

Capítulo dez: Apenas diga "*non*" 97

Receitas favoritas das creches parisienses 107

Amostra de cardápio semanal de almoço
nas creches parisienses 119

Agradecimentos 122

Bibliografia 124

Introdução

Quando escrevi um livro sobre o que aprendi criando três filhos na França, eu não sabia se mais alguém além da minha mãe o leria. Na verdade, eu não estava convencida nem de que ela chegaria ao final (ela costuma preferir livros de ficção).

Mas, para minha surpresa, muitas pessoas que não eram parentes meus também leram o livro. Por um tempo, encontrei muitos artigos enfurecidos falando dele. Quem eu era para insultar a criação "americana" — se é que esse tipo de coisa existe? Será que não existem vários pestinhas franceses? Será que eu só tinha pesquisado os parisienses ricos? Será que eu estava enaltecendo o socialismo, ou pior, o uso da mamadeira?

Sou o tipo de pessoa que ouve qualquer crítica sobre si e pensa imediatamente: é tão verdade! Entrei em pânico. Mas logo comecei a receber e-mails de pais americanos comuns como eu. (Publiquei vários desses e-mails no meu site.) Em pouco tempo, me alegrei. Eles não achavam que eu havia acusado falsamente os americanos de terem um problema na criação dos filhos. Como eu, eles viviam esse problema e estavam ansiosos por uma alternativa.

introdução

Alguns pais me contaram que o livro validava o que eles já vinham fazendo e frequentemente com culpa. Outros disseram que tentaram os métodos do livro nos filhos e que isso deu muito certo. (Ninguém ficou mais aliviado do que eu de ouvir isso.) Muitos pediram mais dicas e mais detalhes, ou uma versão do livro sem minha história pessoal e minha viagem de descoberta, para que pudessem dar como uma espécie de manual para avós, companheiros e babás.

O livro é este. O guia prático com as 100 "dicas para educar os filhos" é minha tentativa de discorrer os princípios mais inteligentes e importantes que aprendi com pais e especialistas franceses. Você não precisa morar em Paris para aplicá-los. Não precisa nem gostar de queijo. (Mas devia dar uma olhada nas receitas no final. São uma amostra do que as crianças nas creches francesas comem, e são deliciosas para adultos também.)

Eu acredito em todas as dicas. Mas elas não são invenção minha nem minhas proclamações pessoais. Nem todas funcionam para todo mundo. Os franceses dizem claramente que cada criança é diferente e que as regras precisam ser quebradas às vezes. Quando você estiver lendo as dicas, vai começar a reparar que por trás de muitas delas há alguns princípios orientadores. Um desses princípios foi radical para mim, por ser americana: se a vida familiar gira em torno apenas dos filhos, ela não vai ser boa para ninguém, nem para os filhos.

Acho que os pais americanos já entenderam isso. Embora esse novo estilo intenso de criação tenha virado febre (que aparentemente surgiu do nada nos últimos vinte anos), já existem estatísticas que mostram que a satisfação no casamento despencou. Os adultos que são pais são notoriamente menos felizes do que os que não são, e eles vão ficando menos felizes a cada filho que nasce. (Mães do Texas que trabalham fora aparentemente preferem os serviços domésticos a cuidar dos filhos.) O estudo mais deprimente das famílias americanas de classe média que já li descrevia como os pais passaram de figuras de autoridade a "criado[s] do filho". Considerando a quantidade de preparo de comida e transporte, eu acrescentaria "chefs particulares" e "motoristas" também.

O argumento conclusivo é que estamos começando a duvidar se essa forma exigente de criação é boa para as crianças. Muitas de nossas boas intenções, desde os vídeos para desenvolver o cérebro do bebê até a busca exaustiva por matrícula na faculdade, agora parecem ser de valor questionável. Alguns especialistas chamam a primeira geração de crianças a encerrar a infância com esse tipo de criação de "xícaras de chá", porque elas são muito frágeis, e alertam que a forma como estamos definindo o sucesso está deixando essas crianças infelizes.

Obviamente, os pais franceses não fazem tudo certo. Nem todos fazem a mesma coisa. As dicas descrevem pérolas de sabedoria convencional do país. É o que os livros, revistas e especialistas franceses em educação infantil dizem que você deve fazer e o que a maior parte dos pais de classe média que conheço faz, ou pelo menos acredita que devia estar fazendo. (Uma amiga francesa disse que planejava dar um exemplar deste livro para o irmão, para que ele pudesse "se tornar mais francês".)

Boa parte da sabedoria "francesa" parece bom senso. Já recebi cartas de leitores descrevendo coincidências entre o estilo de criação francês e de Montessori, ou dos ensinamentos de uma mulher de nacionalidade húngara chamada Magda

introdução

Gerber. Outros me garantiram que era isso que os americanos faziam antes da época do governo Reagan, do boom da psicoterapia e daquele estudo dizendo que as crianças pobres não ouviam palavras suficientes quando eram pequenas. (Vamos apenas dizer que a classe média-alta americana exagerou bastante.)

Algumas ideias francesas têm um poder e uma elegância únicos. Os pais franceses acreditam de verdade que os bebês são racionais, que você deve combinar um pouco de rigidez com muita liberdade e que deve-se ouvir as crianças com atenção, mas não fazer tudo o que elas dizem. A capacidade deles de levar as crianças além das "comidas de criança" é incrível. Acima de tudo, os franceses acreditam que o melhor estilo de criação acontece quando você está calmo. O mais incrível é que, na França, você tem uma nação inteira tentando seguir esses princípios. É como um grupo de controle do tamanho de um país. Venha visitar. Você vai ficar impressionado.

O motivo principal de o estilo francês de criação ser relevante para nós agora é por ser uma espécie de imagem espelhada do que está acontecendo nos Estados Unidos e no Brasil. Costumamos pensar que devemos ensinar capacidades cognitivas às crianças como a leitura o mais cedo possível. Os franceses se concentram nas habilidades "simples" como a socialização e a empatia nos primeiros anos. Queremos que as crianças sejam muito estimuladas; eles pensam que um tempo de ócio é crucial. Costumamos hesitar na hora de frustrar uma criança; eles acham que uma criança que não sabe lidar com a frustração vai crescer infeliz. Estamos concentrados nos resultados da criação; eles pensam que a qualidade dos 18 anos que vocês passam juntos conta muito também. Costumamos pensar que o sono interrompido por um longo período, as birras de rotina, a frescura para comer e as interrupções constantes são coisas inevitáveis quando se tem filhos. Eles acreditam que essas coisas são (por favor, me imagine falando isso com sotaque francês) *impossible*.

Sou jornalista, não especialista em criação. Assim, o que realmente me fez acreditar nos princípios franceses foram os dados. Muitas coisas que os pais franceses fazem por intuição, tradição ou tentativa e erro são exatamente o que as pesquisas americanas mais recentes recomendam. Os franceses tomam como certo que é possível ensinar bebês pequenos a dormir a noite toda; que a paciência pode ser aprendida; que elogios demais podem fazer mal para a criança; que você deveria se sintonizar aos ritmos de um bebê; que crianças pequenas não precisam de cartões com figuras; que provar alimentos faz com que você goste deles. Todas essas coisas a ciência também vem nos dizendo. (Para simplificar as dicas, listei muitos dos estudos relevantes na bibliografia das páginas 124-126.)

Encare este livro como inspiração, não doutrina. E seja flexível. Uma das máximas francesas para a qual não tive espaço é "Você precisa sempre mudar o que faz". As crianças mudam rapidamente. Quando isso acontece, você pode manter os mesmos princípios orientadores, mas usá-los de forma diferente. Espero que este livro torne isso possível. Em vez de dar muitas regras específicas, é mais uma caixa de ferramentas para ajudar os pais a entenderem as coisas sozinhos. Como o velho ditado diz: Não dê para o homem um *filet de saumon à la vapeur de fenouil*. Apenas ensine-o a pescar.

introdução

O estilo de criar filhos está mudando, como sempre muda. Mas, seja lá qual for nossa próxima fase, não vai ser francesa (nem chinesa, nem islandesa). Vai ser produto nosso. Fico muito feliz em oferecer algumas ideias. Minha mãe, pelo menos, acha que estou no caminho certo.

Capítulo um
....

Um croissant no forno

Todas as grávidas se preocupam. Afinal de contas, você está gerando um ser humano. Algumas de nós nem conseguem preparar o jantar direito. A preocupação pode se tornar esporte olímpico. Sentimos que precisamos pesar se cada pedaço de alimento que ingerimos vai fazer bem para o bebê. Toda essa ansiedade não é nada agradável. Mas é comum que pareça necessária. Estamos sinalizando que não há nada que não estejamos dispostas a sacrificar pelo bebê ainda não nascido.

Os franceses não valorizam a ansiedade de uma mulher grávida. Na nuvem de palavras da gravidez francesa, termos como *serenidade, equilíbrio* e *zen* costumam aparecer. Futuras mães devem sinalizar sua competência mostrando o quanto estão calmas e deixando claro que conseguem sentir prazer. Essa pequena mudança na ênfase faz uma grande diferença.

1. A gravidez não é um projeto de pesquisa independente

As futuras mães francesas leem um livro ou dois sobre bebês. Mas não consideram a leitura obrigatória nem sentem que precisam escolher uma filosofia para a criação do filho. Há uma diferença importante entre estar preparada e ser aquela pessoa que recita nomes de anomalias cromossômicas durante o jantar.

Gerar um bebê é mais misterioso e importante do que qualquer outra coisa que você tenha feito (a não ser que você já tenha ficado grávida antes ou que tenha gatos). Você pode conviver com a enormidade do que está acontecendo sem tentar gerenciar detalhadamente cada acontecimento e sem apontar um guru pessoal. A voz mais importante que existe dentro da sua cabeça é a sua.

2. A calma é melhor para o bebê

Se você não estiver persuadida a ficar calma pelo seu próprio bem, faça por seu filho em gestação. As revistas francesas sobre gravidez dizem que o feto sente os humores da mãe. Ele fica agitado com estresse demais e é tranquilizado quando hormônios de prazer permeiam a placenta. Especialistas pedem que as mulheres grávidas diminuam a preocupação discutindo o que as incomoda com um médico ou terapeuta e mimando a si mesma fazendo as unhas dos pés, com passeios noturnos românticos (preferivelmente com o pai do bebê) e com almoços com amigos. De acordo com os franceses, a *zen maman* que vai resultar disso dará à luz um *zen bébé*, e uma gravidez calma dá o tom para uma criação calma.

3. *Não entre em pânico por causa do sushi*

As futuras *mamans* francesas tentam manter os riscos sob perspectiva. Elas sabem que algumas coisas, como o cigarro e o álcool, são categoricamente perigosas para o bebê em gestação. Os médicos franceses agora aconselham a eliminação total das duas coisas (embora algumas mulheres ainda tomem uma ocasional taça de champanhe). Mas outras coisas só são perigosas se estiverem contaminadas. Sushi, salame, mariscos crus e queijo não pasteurizado estão nessa categoria.

Mas não saia correndo para comer ostras. Escute seu médico. E lembre que comer parmesão não pasteurizado acidentalmente com um prato de massa não é motivo para uma crise nervosa.

4. *O feto não precisa de cheesecake*

Não veja a gravidez como uma oportunidade para a qual você tem se guardado por todos os anos em que se privou de comida, durante o namoro e o casamento. Os guias franceses dizem que, quando seu corpo pede brioche, você deve distraí-lo comendo uma maçã ou uma fatia de queijo. A estratégia de longo prazo das mulheres é apreciar uma ocasional tigelinha de *mousse au chocolat* em vez de bani-lo completamente. Isso acalma a fera e diminui as chances de elas perderem as estribeiras com esses alimentos depois. Essa maneira de comer, com moderação, em vez de privação, pode explicar por que um livro francês recente sobre gravidez se chamava *Emergência: Ela quer morangos.*

5. Coma por um (e pouco)

Planeje sair da gravidez com a silhueta intacta. Leve os limites de ganho de peso fornecidos pelo seu médico a sério. (Os limites franceses são menores do que os americanos, e as mulheres francesas os tratam como leis sagradas.) Lembre que vai ser bem mais fácil perder o peso acumulado pela gravidez se você não tiver ganhado muito. Um guia francês diz que uma grávida moderadamente ativa precisa de 200 a 500 calorias adicionais por dia, mas avisa que qualquer coisa além "inevitavelmente vira gordura". Não é preciso encarar isso com austeridade. É crucial saber que as francesas não comem apenas para nutrir o feto. Elas também acreditam que têm o direito de ter prazer.

6. Não use camisas emprestadas do marido

Vestir-se como uma bolha amorfa é ruim para a autoestima (a sua e do seu companheiro; possivelmente, até do bebê). Invista estrategicamente em algumas roupas de gestante que caiam bem. Além disso, converta cardigás e leggings do seu armário em vestimenta de grávida e ilumine o rosto com batom e lenços coloridos. A atenção a esses detalhes sinaliza que você não está passando de *"femme"* a *"maman"*. Você será as duas coisas.

7. Continue sendo sexual

As revistas de gravidez francesas não apenas mencionam que não há problema em fazer sexo. Elas dizem exatamente como fazer isso, incluindo listas de acessórios sexuais seguros para uso na gestação (nada que precise de pilhas), afrodisíacos (mostarda, canela e chocolate) e instruções detalhadas de como se ajustar a posições no terceiro trimestre. As páginas de moda que acompanham as matérias nas revistas mostram grávidas com lingerie de gestante de renda com aspecto sedutor. Algumas das fotos são motivadoras. As francesas grávidas não viram de repente deusas do sexo; elas têm a mesma libido flutuante que o resto de nós. Mas elas não supõem que atravessaram a fronteira para um reino onde até a aparência de intimidade é opcional. Elas sabem que, se você coloca seus poderes sedutores no freezer, vai ser difícil fazê-los descongelar depois.

8. A peridural não é do mal

Os franceses não veem o parto como uma jornada heroica na tolerância à dor, nem prova antecipada das provações que a mãe precisa passar pelo filho. As francesas não costumam trazer os bebês ao mundo em meio a um frenesi de gerenciamento detalhado no qual especificam a iluminação, a lista de convidados e quem vai "pegar" o bebê quando ele sair.

Há parteiras, doulas e até partos em casa na França. Os franceses não veem nada de errado em dar à luz do jeito que você quiser. Mas sustentam que a questão é levar o bebê em segurança do útero aos seus braços. Enquanto algumas coisas podem ser melhores *au naturel* (seios logo vêm à mente), outras são melhores com doses cavalares de drogas. Até as francesas que se alimentam de comidas orgânicas e planejam amamentar no seio até a época da pré-escola ficam felizes quando o anestesista chega.

9. *Não fique perto do agito*

Papais: a não ser que vocês estejam efetivamente fazendo o parto, não fiquem na "boca do túnel". Sim, há um milagre da vida a ser testemunhado. É claro que você quer ser caloroso na hora de receber seu filho. Mas considere conhecê-lo meio segundo depois para poder preservar o misticismo feminino da sua companheira. Como dizem os franceses, nem todas as verdades devem ser ditas.

Capítulo dois
....

Bebê Einstein

Os franceses acreditam que bebês não são bolhas indefesas. Eles tratam os recém-nascidos como pequenas pessoas racionais que compreendem a língua e conseguem aprender coisas (quando ensinamos delicadamente e no ritmo deles). Isso não é tão absurdo quanto pode parecer. Cientistas americanos provaram recentemente que os bebês não são *tabulas rasas*; eles conseguem fazer julgamentos morais e cálculos básicos de matemática. Quem sabe que superpoderes de bebês vão descobrir agora? No mínimo, devemos lembrar que, quando falamos, eles podem estar ouvindo.

10. *Faça um passeio pela casa com seu bebê*

Como qualquer pessoa entrando em uma casa nova pela primeira vez, seu bebê quer compreender o local e conhecer onde vai dormir. Quando você for para casa depois da alta no hospital, mostre tudo para ele. Aqui é seu lar! Mais tarde, crie o hábito de se despedir quando for sair e diga quando vai voltar. Ajude-o a entender o mundo explicando que a vovó é a mãe do papai (ou da mamãe) e que barulho novo é aquele do lado de fora. Os franceses acreditam que, quando falam com um bebê, não estão apenas tranquilizando-o com o som da voz do pai ou da mãe; estão passando informações importantes. Eles acham que explicar as coisas para um bebê agitado pode ajudar a acalmá-lo.

11. Observe seu bebê

Quando você pedir a uma mãe francesa para explicar sua filosofia de criação, ela provavelmente vai dar de ombros e dizer: "Só observo meu bebê." Ela quer dizer que literalmente passa bastante tempo observando o que o bebê faz. Isso é mais importante (e menos óbvio) do que parece. Ela está tentando se sintonizar com a experiência do bebê e aprender a ler e seguir as dicas dadas por ele. (Os cientistas americanos chamam isso de sensibilidade e dizem que é uma das qualidades mais importantes em um cuidador.) A ideia é que é importante estar presente quando o bebê precisar de você. Mas, quando ele está cantando com alegria e babando no tapete de brincadeiras, tente deixá-lo em paz. Você quer alcançar o que os franceses chamam de *complicité* — a confiança e a compreensão mútuas, mesmo com uma pessoa que vomita em você regularmente.

12. Diga a verdade para seu bebê

A especialista mais famosa em criação de filhos na França, Françoise Dolto, dizia que as crianças não precisam que a vida familiar seja perfeita. Mas precisam que seja coerente e não secreta. Ela insistia que os bebês conseguem sentir quando há um problema em casa e precisam da mesma confirmação reconfortante que todos nós: "Você não está maluco! Tem mesmo uma coisa errada!" Dolto dizia que, a partir dos 6 meses do bebê, os pais devem contar para ele se forem se divorciar. Quando um avô ou avó morre, os pais devem explicar com delicadeza e levar a criança ao velório por breves momentos. Uma criança adotada precisa ouvir sobre a mãe biológica, mesmo que a mãe adotiva simplesmente diga: "Não a conheço, mas você a conheceu." Os franceses acreditam que, desde que uma criança é pequena, os pais podem tornar as situações mais fáceis de serem aceitas apenas deixando-as claras.

13. Seja educado

Os pais franceses não costumam falar com condescendência com os filhos, nem com voz cantarolada e imitando bebês. No entanto, fazem a cortesia de dizer "*bonjour*", "por favor" e "obrigado". Se o bebê entende você, nunca é cedo demais para começar a dar exemplo de boas maneiras. E essa *politesse* (educação) precoce dá o tom para relações calmas e respeitosas mais tarde.

14. Não o estimule o tempo todo

É claro que você deve conversar com seu bebê, mostrar as coisas para ele e ler livros. Mas um bebê, como qualquer pessoa, precisa de tempo de ócio. Ele não quer ser observado nem que fiquem falando com ele constantemente. Precisa de tempo para assimilar todas as novas informações que está recebendo. (Os pais também precisam.) Deixe que as interações e as conversas sigam um ritmo natural. Dê tempo para o bebê rolar em um ambiente seguro e ter liberdade.

15. Guie o bebê delicadamente para uma rotina

Nos primeiros meses, os pais franceses costumam alimentar os bebês conforme a demanda deles. Depois disso, consideram algumas coisas como certas:

- O bebê precisa comer mais ou menos nas mesmas horas todos os dias.
- Algumas refeições maiores são melhores do que várias pequenas.
- O bebê deve se ajustar ao ritmo alimentar regular da família.

Com essas ideias em mente, você pode aumentar gradualmente o tempo entre as refeições. Distraia o bebê de ataques de fome levando-o para uma caminhada ou prendendo-o em um canguru. No começo, você talvez ganhe apenas alguns minutos por dia. Mas ele vai se acostumar a esperar um pouco. Depois de um tempo, vai acabar chegando a três horas entre refeições, e em pouco tempo a quatro. Logo estará mais ou menos no mesmo ritmo alimentar que seguirá pelo resto da vida: café da manhã, almoço e jantar, junto com um lanche da tarde. (Isso corresponde aproximadamente a 8h, meio-dia, 16h e 20h, mas os horários não precisam ser seguidos com precisão militar.)

16. Fórmula para bebês não é veneno

As mães francesas sabem que o seio é o melhor. Mas não veem a amamentação como uma forma de avaliar a mãe, nem continuam a amamentar em meio a provações dantescas de dor e inconveniência. Muitas observam de forma pragmática que são saudáveis apesar de terem tomado muito leite em pó, a velha e malvista fórmula (há outros fatores, mas mesmo assim). Há um pouco de culpa invadindo a França. Mas as francesas ainda costumam pensar que não é saudável nem agradável amamentar sob pressão moral. Elas acreditam que amamentar ou não e por quanto tempo deve ser uma decisão da mãe, não do grupo do parquinho. O melhor motivo para amamentar, segundo elas, é se você e seu bebê gostarem.

17. Faça com que legumes e verduras sejam o primeiro alimento do bebê

Se o primeiro alimento do seu bebê é cereal de arroz sem graça, ele provavelmente vai aceitar. Mas por que não começar com uma coisa mais interessante? A partir de cerca de 6 meses, os pais franceses alimentam os bebês com purês cheios de sabor feitos de espinafre, cenoura, abobrinha sem sementes, e outros legumes e verduras. Em pouco tempo, eles passam para frutas, pequenas quantidades de carne e diferentes tipos de peixe. Eles estão tentando criar um laço para toda a vida entre os filhos e esses sabores e apresentar a eles os prazeres de comer.

Capítulo três

Dorme, neném

Eis um paradoxo francês: os bebês franceses costumam dormir a noite toda a partir do terceiro ou quarto mês, ou até antes. Mas os pais não os "deixam chorando até dormir" durante horas a fio.

Não é coincidência, mistério, nem resultado de adicionar conhaque ao leite dos bebês. Se você acredita que bebezinhos conseguem aprender coisas, pode ensinar coisas a eles. E uma das coisas que você pode ensinar desde cedo é como dormir.

18. Compreenda a ciência do sono

Seu bebê é único e adorável, e um dia vai ser aceito em uma escola de ensino médio com atividades artísticas. Vão fazer um filme biográfico sobre ele, no qual uma Gwyneth Paltrow idosa vai fazer o papel de você, a mãe de idade avançada, mas ainda linda. No entanto, como os pais franceses sabem, até seu bebê está sujeito às leis da ciência. E uma dessas leis é que todos os bebês saudáveis, até o seu, dormem em ciclos curtos. No final de cada ciclo, eles costumam acordar e chorar um pouco.

A chave para dormir por períodos mais longos é que o bebê aprenda a unir os ciclos de sono sozinho. Ele precisa conseguir acordar depois de um ciclo e mergulhar no seguinte sem ninguém ter que sair da cama. Adultos, exceto quem sofre de insônia e as mulheres na menopausa, executam esse feito todas as noites.

Unir os ciclos de sono é uma habilidade. Alguns bebês de sorte nascem assim. A maioria precisa treinar antes de dominar a arte.

19. Bebês são barulhentos quando dormem

Os bebês fazem muito barulho quando dormem. Eles choramingam. Mexem os braços como policiais de trânsito. Isso não quer dizer que estão acordados. Se você correr imediatamente para o quarto dele ou pegá-lo no colo cada vez que dá um pio, às vezes vai acordá-lo.

20. Faça "a pausa"

Nós sabemos que os bebês costumam chorar quando estão aprendendo a unir os ciclos de sono. Também sabemos que podem fazer um barulho de sapo furioso, mas ainda estar dormindo. Assim, depois de o bebê completar algumas semanas, faça uma pequena pausa quando ele chorar à noite.*

---

* Quando você conhecer melhor os choros do seu bebê, talvez consiga identificar o choro de "me tire dessa fralda molhada". Quando ouvir esse, você não precisa fazer pausa, apenas vá trocá-lo.

Você está esperando para ver se, desta vez, seu bebê vai ter um momento de descoberta e mergulhar no ciclo de sono seguinte sozinho, sem a ajuda de ninguém. Se você correr imediatamente e pegá-lo no colo, ele não vai ter a chance de desenvolver essa habilidade.

Talvez o bebê ainda não esteja pronto para unir os ciclos. Mas, se você não fizer a pausa, não vai saber, nem o bebê. Ele vai pensar que precisa de você para dormir de novo no final de cada ciclo. Ir correndo pode fazer você se sentir uma mãe ou pai devotado e sacrificado. Mas, na verdade, você está tratando seu bebê como uma bolha indefesa que não está pronta para aprender e crescer. Além do mais, o bebê pode só estar fazendo barulhos dormindo. Assim, se você for pegá-lo no colo, pode, apesar das melhores intenções, acabar acordando-o.

Você não precisa fazer uma pausa muito longa. Alguns pais franceses esperam uns cinco minutos. Outros esperam um pouco mais ou um pouco menos. Eles não estão deixando o bebê chorar até cansar. Se, depois desses minutos, ele ainda estiver chorando, os pais concluem que o bebê deve estar precisando de alguma coisa. E, então, vão pegá-lo.

21. Coloque o bebê no clima para dormir

A pausa é necessária, mas não suficiente para ensinar aos bebês como dormir. Os franceses acreditam que você também deve ter rituais para dar o clima da hora de dormir. Mantenha o bebê perto da luz do dia durante o dia, mesmo se ele estiver cochilando. Sinalize para ele que o grande sono da noite está chegando dando um banho, colocando o pijama, cantando uma cantiga de ninar e dizendo "boa noite". Quando ele estiver calmo e relaxado, mas preferivelmente ainda acordado, coloque-o na cama em um quarto escuro. Passar momentos aconchegantes juntos antes de ir para a cama é importante. É bom deixá-lo dormir sentindo-se seguro o bastante para conseguir se separar de você por um tempo e, ainda assim, ficar bem.

22. Experimente a cura pela fala

Por que conversar com todo mundo sobre como seu bebê dorme, menos com o próprio bebê? Diga para ele que está na hora de dormir. Explique que a família inteira precisa descansar. Diga que vai fazer pausas de alguns minutos antes de ir até ele porque quer que ele consiga voltar a dormir sozinho. Diga como vai ser bom para todo mundo, incluindo ele mesmo, quando ele não precisar mais acordar às três horas da manhã. Um livro francês sobre bebês diz que, depois que um bebê dorme a noite toda pela primeira vez, os pais devem dizer para ele quanto estão felizes e orgulhosos. Fazer isso também ajuda a focar na habilidade recém-descoberta do bebê.

23. Dormir bem é melhor para o bebê

Os pais franceses não ensinam os bebês a dormir só para a conveniência pessoal. Eles também acreditam que dormir bem é bom para o bebê. As pesquisas confirmam isso: uma criança que dorme mal pode se tornar hiperativa e irritável, ter dificuldade de aprendizagem e de se lembrar das coisas, e ter mais acidentes. (Meus estudos pessoais sugerem que o mesmo é verdade para mães privadas das horas de sono.)

E o sono contém uma lição simbólica importante para os bebês: aprender a dormir é parte de aprender a ser parte da família. Os bebês acabam precisando se adaptar ao que os outros precisam também. Três meses, a idade com que muitos bebês franceses dormem a noite toda, é quando termina a licença — maternidade e muitas *mamans* precisam estar descansadas de manhã para ir trabalhar.

24. Não espere que nada disso funcione imediatamente

Provavelmente, não vai. Mas não desista e mantenha a confiança de que o bebê vai, como os franceses dizem, "cumprir as noites". Passe essa confiança para o seu bebê (ajuda!). Acredite que, se você continuar a ensinar seu bebê com gentileza e paciência a dormir bem, ele vai acabar aprendendo, normalmente quando seu próprio experimento de privação de sono começar a ficar insuportável.

25. Se você deixar passar o momento da pausa, deixe o bebê chorar

O método de ensinar gentilmente o bebê a dormir usando a pausa funciona melhor nos primeiros quatro meses após o nascimento. Quando os pais deixam essa janela passar, os especialistas franceses costumam sugerir alguma forma de deixar chorar por um período mais longo. Converse com o bebê sobre isso também. Costuma dar certo depois de algumas noites.

Capítulo quatro

Bebê gourmet

magine um planeta em que as refeições em família são agradáveis, as crianças comem os mesmos pratos que os pais e poucas crianças ficam gordas. Esse planeta é a França. Mas nada disso acontece automaticamente. Os pais franceses se dedicam a ensinar os filhos a comer bem e fazem isso com assiduidade. Os esforços compensam quatro vezes por dia. A moral da história francesa da comida é: trate seu filho como um pequeno gourmet, e ele vai (gradualmente) assumir o papel.

26. Não existe comida "de criança"

É possível encontrar nuggets de frango, peixe empanado e pizza na França. Mas são comidas ocasionais para as crianças, não pratos do dia a dia (o mesmo vale para as batatas fritas, conhecidas no país como *frites*). Os pais quase nunca deixam os filhos se tornarem crianças frescas que só sobrevivem de uma dieta monoalimentar de macarrão e arroz branco. Desde muito cedo, as crianças francesas comem a mesma comida dos pais. O cardápio semanal nas creches do governo de Paris consiste em refeições de quatro etapas (incluindo uma de queijo) que parece algo que se comeria em um bistrô (veja o exemplo de cardápio semanal nas creches a partir da página 119).

27. Só se faz um lanche por dia

Eu tinha dificuldade de imaginar as crianças indo do café da manhã até o almoço sem ao menos comer algumas passas no intervalo. Mas esse feito é possível e pode até ser agradável. As crianças francesas costumam comer só nos horários das refeições e no lanche da tarde, que se chama *goûter* (pronuncia-se "gu-tê").

O que acontece é que, se uma criança não belisca muito, ela vai estar com fome na hora da refeição e vai comer mais. Há também algo de reconfortante em não ver todos os momentos como potenciais oportunidades para comer. Todo mundo pode seguir com outras atividades. E quando você entra no ritmo desse sistema de um lanche só, o *goûter* se torna uma ocasião especial todos os dias. Costuma ser uma combinação de doce, derivados do leite e frutas. É comum ter chocolate. Um *goûter* clássico é sanduíche de chocolate: um pedaço de chocolate meio amargo dentro de uma baguete. Uma caixa de suco pode acompanhar.

28. Não resolva crises com um biscoito

Não oferecer um biscoito recheado cada vez que uma criança choraminga pode ter benefícios amplos. Primeiro, você não estará recompensando a explosão dela e, portanto, não a está encorajando a choramingar de novo. Segundo, você não a está ensinando a comer só porque está chateada. Ela vai agradecer quando tiver 30 anos e ainda couber na calça jeans do ensino médio.

29. Você é o guardião da geladeira

Na França, as crianças não têm o direito de abrir a geladeira e pegar o que quiserem. Elas precisam pedir aos pais primeiro. Isso não apenas reduz a quantidade de vezes que se belisca. Reduz também o caos.

30. Deixe as crianças cozinharem

A garota francesa de 5 anos que mora ao nosso lado mede e mistura azeite, vinagre, mostarda e sal para o vinagrete da família completamente sozinha. Não é coincidência o fato de que ela adora salada. Todos nos sentimos mais envolvidos com a comida que ajudamos a preparar. (Apenas pense no quanto quer que todos experimentem o peru preparado por você no Natal.)

Já vi crianças francesas de 2 anos se sentarem na bancada da cozinha para rasgar espinafre. Crianças de 3 anos aprendem a descascar pepino, a cortar tomates com facas não afiadas e misturar a massa de crepe. Os pais supervisionam o processo e não se incomodam com um pouco de sujeira. Além do mais, não há momento melhor para descobrir o que aconteceu na escola do que quando vocês estão descascando ovo cozido juntos.

Quando vocês acabarem de cozinhar, comam como os franceses costumam comer: juntos, à mesa, com a televisão desligada.

31. Sirva a comida em etapas, com os legumes e verduras primeiro

As refeições em família não precisam ser elegantes. Você não precisa acender velas nem colocar um guardanapo branco sobre o braço para servir. Apenas sirva os legumes e verduras primeiro, antes de qualquer outra coisa. Se seus filhos não tiverem beliscado o dia todo, vão estar com fome e terão mais chance de comê-los. (A mesma estratégia funciona no café da manhã com frutas cortadinhas.) Um legume ou verdura de entrada não precisa ser elaborado. Pode ser uma tigela de ervilhas ainda na casca (é divertido abrir), tomates-cereja cortados com sal e azeite ou brócolis salteado. Coloque uma porção no prato de cada criança e espere.

32. Todo mundo come a mesma coisa

Na França, as crianças não decidem o que vão jantar. Não há escolha nem ajuste. Só há uma refeição, a mesma para todos.

É seguro experimentar isso em casa. Se uma criança não comer alguma coisa ou comer muito pouco, reaja de forma neutra. Não ofereça outra coisa no lugar. Se ela estiver saindo de um gueto alimentar infantil, ajude-a fazendo refeições das quais todos gostem e introduza gradualmente novos pratos.

Acima de tudo, permaneça positivo e calmo. Dê tempo para as novas regras serem absorvidas. Lembre que você está dando a seu filho o crédito de ser capaz de comer os mesmos alimentos que você. Acompanhe as novas regras com algumas novas liberdades, como deixar que ele corte o quiche ou coloque o queijo parmesão. Quando vocês comerem em um restaurante, deixe que ele peça o que quiser, sem argumentar.

33. *Você só precisa experimentar*

A maioria das crianças gosta instantaneamente de sorvete (embora os meus filhos tenham reclamado que era "gelado demais"). No entanto, muitas outras comidas exigem adaptação. A própria novidade afasta as crianças. Só experimentando os alimentos muitas vezes é que as crianças passam a gostar deles.

Esse é o fundamento da forma como os franceses alimentam os filhos. As crianças precisam provar todos os pratos que estão na mesa. Tenho certeza de que há famílias francesas que não consideram essa regra sagrada e infalível, mas ainda não as conheci.

Apresente a regra de experimentar para seu filho como se fosse uma lei da natureza, como a lei da gravidade. Explique que nossos gostos são formados pelo que comemos. Se ele estiver nervoso com a ideia de experimentar uma coisa pela primeira vez, deixe que pegue um pedaço e cheire (uma mordidinha costuma vir logo em seguida). Um novo alimento por refeição basta. Sirva junto alguma coisa da qual você sabe que ele gosta.

Supervisione esse processo sem agir como um carcereiro. Fique calmo e até brinque sobre o assunto. Depois que a criança der a mordida exigida, valorize isso. Reaja de forma neutra se ela disser que não gostou. Nunca ofereça uma comida para substituir. Lembre-se, é um jogo de longa duração. Você não quer que ela coma uma alcachofra uma vez, em ambiente estressante. Quer que aprenda a gostar de alcachofra gradualmente.

34. Faça rotatividade de alimentos

Mesmo se um certo alimento não for sucesso, faça com que eventualmente volte à refeição. Coloque brócolis na sopa, derreta queijo em cima ou faça frito. Brócolis pode nunca ser a comida favorita do seu filho. Mas, cada vez que ele provar, vai se tornar mais parte do repertório dele. Ele vai acabar encarando como uma coisa normal. Quando estiver estabelecido com solidez, mantenha sempre no planejamento. Seu filho não vai amar todos os alimentos. Mas vai dar uma chance a cada um.

35. Você escolhe os alimentos, ela escolhe as quantidades

Uma criança sabe (ou devia aprender a saber) quando está satisfeita. Sirva porções menores e não a pressione para terminar. Espere e veja se ela pede mais antes de servir. Se ela pedir uma terceira porção de massa, ofereça um iogurte ou queijo. Adoce o acordo deixando que ela coloque mel ou uma colher de geleia no iogurte natural. Depois disso, deixe que escolha uma fruta fresca ou um purê de fruta (como aqueles pequenos potes de fruta processada sem açúcar).

O objetivo não é enfiar nutrientes suficientes na boca da criança a cada refeição. É guiá-la para que se torne uma pessoa independente ao se alimentar, que aprecia a comida e regula o próprio apetite. Se ela não comer o bastante em uma refeição, vai compensar na seguinte. Se belisca sempre, nunca vai aprender a comer nos horários de refeição.

36. Variedade, variedade

Os franceses são loucos por variedade. Eles servem muitos alimentos diferentes para as crianças, preparados de várias formas. O objetivo é oferecer texturas e cores variadas. Isso tem muitos benefícios:

- As crianças recebem uma variedade de nutrientes. Há mais chance de comerem uma dieta balanceada se ingerirem muitos alimentos diferentes.

- Isso torna a refeição um momento mais tranquilo. Se seus filhos estão acostumados com alimentos variados, você não precisa temer os rompantes de uma criança fresca para comer frente à simples visão de uma erva na sopa.
- É mais social. Você pode levar seus filhos para qualquer lugar e eles sempre encontrarão alguma coisa de que gostam. Você não vai precisar ficar pedindo desculpas para anfitriões que não servem macarrão puro. Você constrói cumplicidade com seus filhos ao desenvolverem isso juntos.
- É mais agradável para a criança. O mundo dela se expande quando ela descobre diferentes sabores, aromas e texturas.
- Mostra sua confiança no seu filho. Se você o trata como um aventureiro alimentar, ele vai acabar alcançando suas expectativas, enquanto se você o tratar como um fresco que só come queijo quente e uma banana de vez em quando, é isso que ele vai se tornar.

37. Beba água

Na França, água fria ou à temperatura ambiente é a bebida tradicional do almoço e do jantar (e de qualquer momento do dia). Os pais não costumam ouvir pedidos de bebidas; eles simplesmente colocam uma jarra de água na mesa. (Isso se torna hábito rapidamente.) Suco é para o café da manhã e para um ocasional lanche da tarde. Bebidas adocicadas são para ocasiões especiais como festas. Ponto. *Santé!*

38. A aparência importa

Todos se sentem mais atraídos por comida que parece apetitosa. Nos restaurantes parisienses, a apresentação é tão valorizada quanto o preparo. Esse pode também ser seu princípio em casa. Coloque comida comprada em restaurantes em travessas de servir. Enfeite um jantar monótono com tomates-cereja ou cenoura ralada. Convoque as crianças para arrumar legumes e verduras crus em um prato, ou montar sanduíches coloridos para você esquentar no forno. A partir de 2 ou 3 anos, todas as crianças podem comer em pratos comuns e beber em copos pequenos, como as crianças francesas fazem.

39. Fale sobre comida

Os franceses falam muito sobre comida. Em parte, é assim que passam para os filhos que comer não é só para a nutrição, é uma experiência sensorial completa. Guias alimentares sugerem ir além do "gosto"/"não gosto" e que sejam feitas perguntas como: As maçãs estão azedas ou doces? Qual é a diferença entre o gosto da cavala e do salmão? O que é melhor, alface roxa ou rúcula?

Trate a comida como um eterno iniciador de conversas. Quando o bolo desmoronar ou o cozido ficar um desastre, riam disso juntos.

No supermercado, faça um passeio pela seção de hortifrutigranjeiros e deixe que seu filho escolha frutas, legumes e verduras (um dos meus filhos gosta de andar no carrinho de supermercado brandindo um alho-poró gigante).

Acima de tudo, mantenha a conversa sobre comida positiva. Se seu filho anunciar abruptamente que não gosta mais de pera, pergunte calmamente de que ele decidiu gostar então.

40. Tenha o equilíbrio nutricional diário em mente

Os pais franceses têm um mapa mental do que os filhos comem diariamente. Eles esperam que as crianças ingiram uma maior quantidade de proteína no almoço, enquanto o jantar vai girar em torno de grãos e legumes e verduras. As crianças costumam comer os alimentos doces como sobremesa do almoço ou no *goûter*. A sobremesa da hora do jantar costuma ser iogurte, queijo ou fruta. ("O que você come à noite fica com você durante anos", explicou uma mãe francesa.)

41. O jantar não deve envolver combate corpo a corpo

Uma nutricionista francesa diz que o melhor conselho que pode dar é o seguinte: não deixe que seu filho veja quanto você quer desesperadamente que ele coma os legumes e as verduras.

Também não elogie nem comemore demais. Banque o indiferente. As vagens que você acabou de colocar na mesa não significam a segunda vinda do Messias. O tom que você busca para os horários de refeições é de alegre indiferença. Permaneça calmamente positivo com relação à comida. Diga para as crianças que as refeições são momentos de a família ficar junta e apreciar a companhia uns dos outros.

42. Coma chocolate

Não trate os doces como se fossem criptonita nem tente fingir que o açúcar refinado não existe. Isso só vai aumentar as chances de as crianças exagerarem quando finalmente colocarem as mãos nessas coisas. O melhor a fazer é ensinar que doces são prazeres ocasionais a serem apreciados em doses controladas. As crianças francesas comem pequenas porções de chocolate ou biscoitos com regularidade, normalmente no *goûter* da tarde. Também costumam comer bolo nos fins de semana, mas não demais. Nos aniversários e nas festas da escola, os pais tendem a dar liberdade aos filhos. Todos precisamos de um tempo longe das regras do dia a dia.

43. Faça com que as refeições sejam curtas e doces

O jantar não é um sequestro com reféns. Não espere que crianças pequenas fiquem à mesa por mais de vinte ou trinta minutos. Quando elas pedirem para serem liberadas, permita que saiam. Com a idade virão as refeições mais longas.

Em restaurantes, deixar a mesa não costuma ser uma opção. Planeje essas saídas cuidadosamente. Faça com que as crianças cheguem com fome e não exaustas. Leve livros e material de desenho. Antes de entrar, explique mesmo para os menores que há regras especiais, e uma delas é que eles podem escolher o que comer. Lembre a eles para serem *sage* (sábios) — calmos e no controle de si mesmos. (Ao contrário do equivalente, "Seja bonzinho", isso implica certa sabedoria e capacidade de autocontrole.)

Capítulo cinco

Mais cedo não é melhor

É tentador pensar na primeira infância como o começo de uma maratona cuja linha de chegada é a admissão na universidade. Nessa analogia, você iria querer que seu filho fizesse uma boa largada, que começasse a falar, ler e fazer contas de matemática o mais rápido possível. Ofereceria cartões com imagens, brinquedos para o desenvolvimento do cérebro e talvez um aparato especial que o ajudasse a aprender a andar.

Os franceses também querem que os filhos sejam bem-sucedidos. (Eles têm a versão deles das universidades mais prestigiadas, chamadas *grandes écoles*.) Mas provavelmente não vão usar a analogia da maratona. Eles não costumam pensar que faz sentido apressar as crianças para chegarem aos marcos de desenvolvimento, nem ensinar habilidades como leitura e matemática antes de elas estarem prontas. As crianças em idade pré-escolar na França aprendem algumas letras, mas só aprendem a ler no equivalente ao primeiro ano, com 6 anos. (Os adolescentes na Finlândia têm a maior média de pontuação em leitura e matemática do mundo ocidental, mas só aprendem a ler com 7 anos.)

As pesquisas americanas mais recentes validam essa abordagem mais lenta. É mais importante ensinar às crianças em idade pré-escolar habilidades como concentração, relacionamento interpessoal e autocontrole (mais sobre autocontrole no capítulo 6). Essas habilidades, mais do que exercícios de matemática e treinamento pré-alfabetização, criam uma base forte para o sucesso acadêmico posterior. E, como os franceses podem afirmar, evitar a maratona do bebê é bem mais agradável para os pais e para os filhos.

44. *Não ensine seu filho pequeno a ler*

Sim, é tecnicamente possível ensinar uma criança de 3 anos a reconhecer as palavras. Mas para que a pressa? Você não quer deixar de ensinar às crianças as coisas que elas mais precisam aprender nessa idade, como a serem organizadas, articuladas e terem empatia. As pré-escolas francesas ensinam as crianças a conversarem, terminar projetos e lidar com problemas. Em uma aula de jardim de infância da minha filha em Paris, a tarefa era que 25 crianças analfabetas de 5 anos falassem para a turma sobre "justiça" e "coragem". Quando essas crianças chegam aos 6 anos, elas aprendem em bem menos tempo do que aconteceria se tivessem 3.

45. *Não apresse os estágios de desenvolvimento*

Os franceses têm um dito: "Não dá para dançar mais rápido do que a música." Eles acreditam que qualquer criança vai rolar para o lado, se levantar, aprender a usar o banheiro e começar a falar quando estiver pronta. Os pais devem encorajar com amor e apoiar, não transformar a infância em um campo de treinamento militar. De qualquer modo, a vida de uma criança pequena não deve ser composta de trabalho duro. Há tempo para isso mais tarde.

46. Ensine as quatro palavras mágicas

Nós temos o "por favor" e o "obrigado". Os franceses têm mais duas palavras além dessas: "oi" e "tchau". Eles são especialmente zelosos em fazer uma criança dizer "*bonjour*" assim que entra na casa de alguém. Ela não está dispensada de cumprimentos só porque os pais já cumprimentaram os donos da casa.

Os pais franceses veem o *bonjour* como um ponto decisivo da empatia. Cumprimentar faz com que a criança saia de sua bolha egoísta e faz com que perceba que as outras pessoas também têm carências e sentimentos, como a simples necessidade de ser reconhecida. O *bonjour* também dá o tom para que ela observe outras regras de civilidade. Se ela diz "*bonjour*", tem menos probabilidade de pular no sofá. Já foi considerada uma pessoa; uma pessoa pequena, mas pessoa mesmo assim.

47. Deixe que as crianças "despertem" e "descubram"

Séculos de arte francesa, culinária e design deixaram marcas na criação francesa de filhos. Atualmente, os pais ensinam aos filhos sobre os prazeres sensoriais como experimentar novos alimentos, "descobrir" o corpo por meio de movimento (os americanos talvez chamem isso de exercício) e "despertar" para novas sensações, como espirrar água em uma piscina (isso vem bem antes de as crianças francesas aprenderem a nadar). O despertar não costuma exigir muita dedicação dos pais. Pode acontecer ao rolar em uma toalha de piquenique e observar a grama. O despertar provavelmente ajuda a elaborar alguns caminhos neutros. Mas o objetivo real é ensinar as crianças a apreciarem o mero fato de estarem no mundo.

48. Encoraje a despreocupação

Algumas aulas de música são uma coisa boa. Mas tente dar muito tempo livre às crianças para apenas brincarem. "Quando a criança brinca, ela se constrói", explicou uma das professoras da creche parisiense da minha filha. (Faz parte do planejamento da creche oferecer grandes quantidades de tempo sem estrutura.) As pesquisas mais recentes parecem concordar com os franceses. Um resumo das pesquisas em neurociência lista os inúmeros benefícios das brincadeiras de exploração: ensinam às crianças persistência, capacidade de relacionamento interpessoal e solução criativa de problemas; melhoram os períodos de atenção e a confiança; e dão a elas a chance de dominar atividades. Mas brincar não é importante apenas para o desenvolvimento; também é divertido.

49. Deixe que seu filho se socialize com outras crianças

Sabe quanto você deseja a companhia de adultos depois de passar um dia sozinho com uma criança de 3 anos? Bem, imagine como essa criança se sente, mas ao contrário. As mães francesas querem passar tempo com seus filhos. Mas também acham crucial que as crianças socializem com pessoas igualmente encantadas por carros de bombeiro e acessórios de princesa. Elas querem que os filhos aprendam a fazer amigos, a esperar a vez e se dar bem em um grupo. Pais das classes média e alta que trabalham preferem colocar os filhos em creches de qualidade a deixá-los em casa com uma babá.

50. Afaste-se no parquinho

Os pais franceses acreditam que, quando a criança aprende a andar sozinha e subir no escorrega com segurança, o dever deles é observar das laterais enquanto ela brinca. Nos parquinhos franceses, você não vê pais narrando cada movimento, descendo no escorrega atrás do filho ou pulando automaticamente para defendê-lo a cada conflito. Eles dão à criança a oportunidade de resolver sozinha.

Resista à vontade de atravessar pontes bambas de madeira e oferecer comentários e encorajamentos constantes. Apenas sente-se em um banco, observe e recarregue as energias. Assim, você vai estar bem mais alegre e paciente quando seu filho precisar de você de verdade.

51. Faça atividades extracurriculares por prazer

Você não está construindo uma criança biônica. Não coloque seu filho em aulas de violino nem leia o 12º livro do dia só para ajudá-lo a ganhar pontos hipotéticos no QI. Escolha atividades que seu filho aprecie e faça isso em um ritmo natural. Leia estudos sobre desenvolvimento infantil se quiser, mas não deixe que eles planejem o dia do seu filho.

52. Os resultados não são tudo

Sim, o mundo é competitivo. É claro que você quer que sua prole supere aquele pestinha trilíngue que é filho do vizinho. Mas a infância não é apenas um preparativo para o futuro. A qualidade das quase duas décadas que vocês vão passar juntos também importa. Aprenda a identificar e apreciar o que os franceses chamam de *moments privilégiés*, pequenos momentos de alegria ou tranquilidade quando vocês apenas apreciam o fato de estarem juntos.

Capítulo seis

Espere um minuto

Um dos motivos para o estilo familiar francês parecer calmo é que os pais enfatizam a paciência. Elas não tratam a espera (e as habilidades relacionadas a ela, como lidar com a frustração e atrasar a gratificação) como qualidades inatas com (ou sem) as quais as crianças nascem. Eles acreditam que isso pode ser aprendido. Os pais franceses procuram ensinar paciência aos filhos da mesma forma que vão ensiná-los mais tarde a andar de bicicleta.

Além do mais, eles acham a alternativa intolerável. Os pais franceses conseguem imaginar um mundo em que jamais conseguiriam terminar um telefonema ou uma xícara de café, em que as crianças desabam cada vez que ouvem um "não" para o pedido de uma barra de chocolate. Eles já viram crianças que passam regularmente de calmas a histéricas em segundos e deixam todo mundo infeliz. E não querem viver nesse mundo nem acham que seja inevitável. Tampouco acham que viver lá faria a criança feliz.

53. Dê muitas chances às crianças de treinarem a espera

O segredo da paciência não é esperar que uma criança fique estoica e que espere paralisada e em silêncio. Os cientistas descobriram que as crianças se tornam boas na capacidade de esperar quando aprendem a se distrair — inventando uma musiquinha ou arrotando em frente ao espelho, por exemplo. Isso torna a espera suportável.

Os pais franceses também descobriram isso. Eles sabem que não precisam nem ensinar a criança a se distrair. Se apenas disserem "espere" muitas vezes (*attend* em francês) e fizerem a criança treinar a espera diariamente, ela vai descobrir como se distrair. Mas se eles largarem tudo na hora que a criança reclamar que está entediada ou se desligarem o telefone quando ela interromper, a criança não vai melhorar na capacidade de esperar. Só vai melhorar na capacidade de choramingar.

54. Demore mais para responder

Abrace o ritmo francês de vida. Quando você estiver ocupado fazendo ovos mexidos e sua filha pedir que você olhe a torre que ela fez com rolos de papel higiênico, explique com delicadeza que vai olhar em alguns minutos. No jantar, não dê um pulo para pegar o guardanapo no momento em que ela pedir (ou, melhor ainda, coloque os guardanapos em uma prateleira baixa para que ela mesma consiga pegar). Quando você estiver ocupado, mostre educadamente para a criança o que você está fazendo e peça que ela compreenda.

Isso não apenas torna a vida mais calma. É também o que os franceses chamam de passagem obrigatória para a criança, quando ela aprende que não é o centro do universo. Os pais acreditam que uma criança que não percebe isso (e que se sente no direito de ter qualquer coisa que queira) não vai ter motivo para crescer.

Os franceses têm expectativas razoáveis. Eles não pediriam que uma criança pequena assistisse a uma peça inteira de Shakespeare (ou Molière). Só querem que ela consiga esperar alguns segundos, alguns minutos. Ir mais devagar mesmo um pouco vai fazer com que ela lide melhor com o tédio e deixe de ver as coisas com pânico. A paciência é um músculo. Quanto mais uma criança brinca sozinha, mais capaz ela fica de fazer isso.

55. Trate as crianças como se elas fossem capazes de se controlar

Valorize a inteligência da criança. Tenha a expectativa de que ela não vai ficar pegando qualquer objeto da casa e de que consiga colocar todos os Legos de volta na caixa. Abaixe-se e diga com gentileza para a criança pequena que está tirando os livros da prateleira que ela deve parar e mostre como colocar de volta. Quando ela jogar uvas no chão, mostre-a como deixar as uvas no prato. Faça isso com paciência e olhando cara a cara. As crianças precisam aprender os limites, mas também precisam de amor. "É preciso amor e frustração para a criança se construir", explica um especialista. Se você der à criança apenas amor sem limites, ela logo vai se tornar uma pequena tirana (os franceses chamam de *enfant roi*, reizinho).

56. Não deixe que seu filho interrompa você

Quando uma criança interrompe (supondo que não esteja tendo uma hemorragia), os pais franceses acreditam que você deve dizer calmamente uma versão de "Estou no meio de uma conversa. Espere e estarei com você em um momento". Em seguida, cumpra sua promessa. Continue sua conversa, mas, quando tiver terminado, vire-se para a criança e ouça o que ela tem a dizer. Faça com que ela espere a vez também para falar à mesa de jantar e ensine-a a dizer ao menos "com licença" se for urgente. (*Urgente* em nossa casa costuma querer dizer que a segunda cabeça do dragão, a cabeça menos importante, eu sempre digo, caiu de novo.)

Lembre que você não está só tentando apreciar o simples prazer de concluir um pensamento. Também está ensinando a seu filho o respeito pelos outros e a estar ciente do que está acontecendo ao redor dele. Uma francesa diz que, quando o filho a interrompe, ela faz com que ele olhe para a pessoa com quem ela está falando, para que perceba bem o que está acontecendo. "É uma forma de viver juntos", explica. Toda essa prática não impede seu filho de interromper novamente. Mas ele vai estar cada vez mais atento.

57. Não interrompa seu filho

Todo mundo na casa tem o direito de estar absorto em alguma coisa sem ser interrompido. Quando uma criança está envolvida com alegria em uma atividade, os pais devem tentar não entrar abruptamente com uma pergunta ou uma mudança de planos. Quando as pessoas não são abruptas e não interrompem as outras, o ritmo de toda a vida familiar fica um pouco mais lento.

58. Observe as regras francesas sobre alimentos

Os rituais alimentares franceses oferecem um exercício diário para ensinar as crianças a esperarem pela gratificação. Os pequenos comem quase todas as refeições em etapas em vez de tudo de uma vez. Eles experimentam as comidas, até as de que não gostam, uma forma de lidar com a frustração. Esperam para comer nos horários de refeição. Se comem chocolate de manhã, não comem no *goûter* da tarde. Com prática, tudo isso fica muito mais fácil; na verdade, fica natural e nada árduo.

59. Deixe que comam bolo

Fazer bolos é uma atividade regular de fim de semana em muitas famílias francesas que começa praticamente no momento em que a criança consegue se sentar sozinha em uma cadeira. Medir e sequenciar são aulas excelentes de paciência. E quando o bolo está pronto, as famílias costumam esperar a hora do *goûter* para comer. Todo mundo, incluindo os pais, come porções razoáveis (eles tentam dar o exemplo de controle para os filhos).

60. Encare lidar com a frustração como uma habilidade crucial para a vida

Os pais franceses não têm medo de prejudicar uma criança ao frustrá-la. *Au contraire*, acreditam que uma criança não pode ser feliz se precisar ter as coisas imediatamente e se é vítima constante dos próprios ímpetos. Eles acreditam que as crianças têm orgulho e prazer de serem capazes de escolher como reagir às coisas.

Ensinar às crianças como lidar com a frustração também as torna mais resistentes mais tarde. Crianças pequenas que são boas em esperar pela gratificação têm mais probabilidade de crescerem e virarem adolescentes que aguentam reveses e que são bons em concentração e argumentação. Considere isto um paradoxo francês: tentar fazer a criança ser feliz o tempo todo vai torná-la mais infeliz mais tarde.

61. Lide calmamente com as birras

Os pais franceses ficam tão constrangidos e perturbados por ataques de birra quanto qualquer um de nós. Eles não têm uma receita mágica para fazer o choro parar. O que costumam achar é: você não deve ceder a uma exigência descabida. ("Acima de tudo, não ceda", me diz um pai.) Birras não mudam as regras.

Isso não quer dizer que você deve ser frio. Os pais franceses dizem que as crianças ficam compreensivamente zangadas quando não podem ter ou fazer alguma coisa. Os pais tentam mostrar solidariedade ("Quem não quereria um biscoito antes do almoço?") e deixar os filhos expressarem o descontentamento. Alguns pais dizem que perguntam ao filho que solução ele acha boa, levando as limitações em consideração. Se a criança consegue se acalmar o bastante para falar, costuma dar ideias sensatas, como comer o mesmo biscoito no lanche da tarde.

Às vezes, dar a uma criança chateada mais autonomia pode mudar o humor e acalmá-la. Deixe que ela ajude você a preparar o jantar ou que se sirva. Fique sintonizado aos ritmos dela. Não espere que uma criança cansada demais vá ao mercado ou saia para jantar calmamente.

Quando a birra acontece em casa e se prolonga muito, os pais costumam mandar a criança para o quarto e a mandam sair quando estiver calma de novo. "Se ela estiver fazendo muito barulho, eu digo: 'Vá gritar no seu quarto.' Mas entendo que isso a deixa muito zangada", explica a mãe de uma garotinha de 5 anos. Tipicamente, "ela entra no quarto e grita, depois sai e faz o que eu pedi", diz essa mãe. Se a criança consegue sair com calma, os pais reagem positivamente e todo mundo segue em frente.

Em resumo, fique calmo e seja solidário, mas sem ceder.

62. Seja paciente ao ensinar paciência

Seu filho não vai virar especialista em esperar em um dia. Aprender a esperar é parte do que os franceses chamam de *éducation* — um processo contínuo de ensinar habilidades e valores e que não tem nada a ver com a escola. Seja consistente. Sempre que começar a hesitar, pense numa alternativa.

Capítulo sete

Livre para ser você e *moi*

Quando uma mãe fica muito em cima do filho na França, alguém provavelmente vai dizer: "Deixe que ele viva a vida dele!" Os pais franceses fazem muito pelos filhos, mas não tentam remover todos os obstáculos, físicos e emocionais. Em vez disso, lutam para tratar as crianças como seres independentes que podem, mais e mais conforme vão crescendo, lidar com os desafios sozinhos.

Essa autonomia se desenvolve em um ritmo razoável. As crianças francesas não dirigem carros nem operam maquinário pesado. Os pais supervisionam de perto e julgam quando a criança está pronta para dar o passo seguinte. Mas eles acreditam que a autonomia é crucial para as crianças. Quando você as trata como capazes e confiáveis, elas respondem assumindo mais responsabilidade e se comportando melhor. E dar um pouco de espaço aos filhos pode acabar aproximando vocês.

63. Dê tarefas importantes às crianças

Não subestime o que as crianças são capazes de fazer com um pouco de orientação. É normal que franceses de 3 e 4 anos ajudem a colocar a louça na máquina de lavar depois do jantar, por exemplo. (Mães que conheço relatam bem poucos pratos quebrados.) A filha de 6 anos de uma amiga diz que a atividade favorita dela é tirar o lixo sozinha. Ela também descreve com orgulho o momento em que a mãe ficou do lado de fora de uma lojinha e deixou que ela entrasse sozinha para comprar limões.

Quando feitos regularmente, esses pequenos atos de autonomia são muito importantes. As crianças que têm papel ativo nas tarefas do lar ficam mais independentes e aprendem que os adultos existem não só para servi-las. Estranhamente, as crianças também acham essas tarefas divertidas. Claro que a diversão não vai durar para sempre. Mas a ideia de que a contribuição delas para a família é importante provavelmente vai.

64. Construa um cadre

O *cadre* (que significa "moldura" ou "estrutura") é a imagem mental que os pais franceses têm da melhor forma de educar os filhos. Eles se esforçam para serem muito rigorosos com algumas poucas coisas essenciais; essa é a moldura. Mas, dentro da moldura, procuram dar o máximo de liberdade possível aos filhos.

Os pais decidem com o que serão rigorosos. Os parisienses que conheço costumam escolher o respeito pelos outros, quanto tempo de televisão as crianças podem ver e qualquer coisa relacionada à comida. As crianças francesas não têm permissão alguma de baterem nos pais.

Você pode aplicar o coquetel de rigor e liberdade do *cadre* a várias situações diferentes. Algumas que ouvi de pais franceses são:

- Na hora de dormir, você tem que ficar no seu quarto, mas dentro do seu quarto pode fazer o que quiser.
- Você só pode assistir a duas horas de televisão no fim de semana, mas pode escolher a hora de usar essas duas horas e pode escolher o DVD ou o programa que quer assistir.
- Você precisa experimentar um pouco de tudo nas refeições, mas não precisa comer tudo.
- Quando saímos, posso vetar sua roupa se for inadequada, mas em casa você pode vestir o que quiser.
- A maior parte do tempo, você não pode comer doces, mas pode no lanche da tarde.
- Não compro coisas desnecessárias se você pedir, mas você pode comprar com sua mesada. (As crianças francesas costumam começar a receber mesada por volta dos 7 anos. A quantia típica corresponde à idade da criança; por exemplo, uma criança de 7 anos recebe 7 euros por mês.)

65. Todos precisam de um xingamento

Existe um especial para crianças francesas em idade pré-escolar: *caca boudin* (pronunciada "caca budã"). Isso pode ser traduzido literalmente como "cocô linguiça", mas é uma palavra quebra-galho que pode significar "que se dane", "droga" ou "nem ligo". Ninguém ensina o filho a dizer *caca boudin*. As crianças simplesmente aprendem umas com as outras. Os pais podem fazer cara feia quando ouvem a expressão, mas tendem a não proibir. O que eles fazem é ensinar os filhos a usá-la de forma apropriada. Alguns dizem aos filhos para dizerem *caca boudin* só no banheiro, ou quando estão sozinhos com os amigos. Eles não podem dizer para os professores nem no jantar. As crianças são sujeitas a muitas regras. Algumas vezes, precisam dizer *caca boudin*.

66. Deixe seu filho com outra pessoa

Se você consegue a ajuda de um avô/avó ou outro parente, deixe que seu filho passe um tempo longe de você. (Crianças francesas de 5 anos fazem viagens de escola de vários dias sem os pais, só com os professores. Durante as férias escolares, costumam passar uma semana ou duas sozinhas com os avós.) Dê algumas instruções básicas a quem for cuidar da criança e tente projetar uma confiança alegre quando estiver se despedindo. Não se preocupe porque ele vai fazer as coisas de um jeito diferente de quando está com você; seu filho precisa principalmente de carinho, atenção e um pouco de comida. Comece com uma noite fora de casa e aumente para um fim de semana prolongado. "Se tudo for bem, ele vai voltar mais esperto", explica* um psiquiatra francês sobre crianças de 3 a 5 anos. "Você vai ver que ele mudou, vai ter aprendido a se comportar como uma criança maior. Vai ganhar independência." Não vou nem mencionar os benefícios para os pais.

67. Não se torne um juiz

O ideal francês é que os adultos evitem se tornar juízes de todas as brigas, seja entre irmãos, amigos ou novas amizades na caixa de areia. Um pai me conta que, quando seus gêmeos de 5 anos discutem, ele pede que eles sugiram uma solução. (Ele diz que eles costumam pensar em alguma coisa.) Os professores dizem que recuam na hora do recreio, para dar às crianças a liberdade mais do que necessária. ("Se interviermos o tempo todo, eles ficam meio loucos", explicou uma cuidadora de creche.)

Os especialistas franceses dizem que a rivalidade entre irmãos é inevitável e que a chegada de um novo bebê é um choque genuíno para uma criança maior. Nesse caso, "você deve consolá-la, ajudá-la a se expressar, tranquilizá-la, dizer que entende a ansiedade que ela sente, a dor, o ciúme, mostrar para ela que é normal ter esses sentimentos", diz um livro sobre criação de filhos.

---

* Em um artigo em uma revista francesa sobre criação de filhos chamado "Ele vai passar um tempo sem você e é bom para ele!".

68. Mantenha os riscos em perspectiva

Os pais franceses sabem sobre o perigo de engasgos, alergias e pedófilos. Eles tomam precauções razoáveis. Mas tentam não ficar obcecados com situações distantes. Em vez de internalizar todas as preocupações, eles acreditam que os pais devem falar com as crianças sobre os riscos e ensiná-las como se proteger. Um especialista francês sugere explicar a crianças já a partir de um ano que os carros existem e que são perigosos; portanto, elas não podem atravessar uma rua sem um adulto.

Existe uma diferença crucial entre proteger uma criança do perigo e isolá-la do mundo. Lembre-se de que as crianças ganham confiança ao superarem dificuldades e contarem com suas próprias soluções. Como avisa um escritor francês, "crescer sem risco não é crescer".

69. Não crie um viciado em elogios

Uma mãe francesa me diz que, em vez de dizer "Muito bem" quando o filho de 5 anos faz uma coisa bem, ela prefere perguntar: "Está orgulhoso de si mesmo?" Como muitos pais franceses, ela acredita que as crianças não constroem a autoestima ouvindo sem parar que estão fazendo um bom trabalho. Elas a constroem ao fazer coisas novas sozinhas, e fazendo bem. De fato, elogiar demais uma criança pode ser prejudicial. Seu filho vai ficar tão ansioso para sustentar sua opinião sobre ele que não vai querer correr o risco de experimentar uma coisa nova.

Ou vai fazer as coisas apenas para ter a breve euforia de ouvir um "Muito bem", mas vai perder a motivação quando você não estiver lá para dizer isso. É claro que você deve ser encorajador (também não é bom nunca elogiar). Apenas não exagere.

70. Encoraje as crianças a falarem bem

Quando uma criança já sabe falar fluentemente, os pais e os professores franceses não deixam passar tudo o que ela diz. Quando ela desvia muito do assunto, eles avisam e a guiam de volta. À mesa de jantar, prestam mais atenção quando ela diz coisas inteligentes e se expressa bem. O objetivo disso é ser construtivo. Querem transformar a criança em uma pessoa boa de conversa, não uma pessoa chata que fala um monte de besteiras. (A criança pode fazer isso sem problema na casa da avó, mas não vai ser tão encantador mais tarde, nos seus encontros.)

71. Espere o "déclic"

O *déclic* (dê-clique) é um momento de descoberta em que uma criança percebe como fazer sozinha uma coisa importante. Ela parece que tem um clique. Para os pequenos, pode ser o momento em que aprendem a usar o banheiro ou descobrem como fazer novos amigos. Para os adolescentes, é o momento ou período em que eles param de trabalhar para satisfazer os pais e começam a trabalhar porque querem ser bem-sucedidos por conta própria. É um sinal bem-vindo de maturidade e autonomia. Os pais franceses costumam esperar e torcer para os filhos terem o *déclic*. Pais não franceses também. Mas ajuda ter um nome para isso.

72. Deixe que as crianças tenham um "jardin secret"

Os franceses acreditam que todos têm direito a um "jardim secreto", um reino particular. Faz parte de ser uma pessoa independente. Mesmo pais muito envolvidos aceitam que os filhos precisam de privacidade, particularmente quando crescem, e que terão alguns segredos. Eles não esperam saber cada detalhe da vida dos filhos. Mas esperam saber que, de uma forma geral, tudo está bem.

73. Respeite o espaço da criança, e ela vai respeitar o seu

A autonomia é uma coisa fundamental da qual seu filho precisa. (Françoise Dolto disse que, por volta dos 6 anos, a criança deve ser capaz de fazer tudo em casa que diz respeito a ela.) Dar autonomia conforme ele se mostrar pronto é sinal de que você confia nele e o respeita. É um apelo ao eu superior dele. Dê isso a seu filho, e ele tem mais chance de respeitar aquilo de que você precisa. Idealmente, como os franceses dizem, todos na família devem poder viver sua vida.

Capítulo oito

Cherchez la femme

As mães francesas lutam para ter uma espécie muito particular de equilíbrio na vida. Não é o tipo de equilíbrio que sustenta pratos no ar. É mais como uma refeição balanceada (você não iria querer comer apenas batatas). O ideal francês é que nenhuma parte de sua vida, nem ser esposa, nem ser trabalhadora, nem ser mãe, deve eclipsar as outras partes. Mesmo a *maman* mais dedicada também deve dirigir energia e paixão a outras coisas que não sejam os filhos.

A França tem todo tipo de serviço social que torna mais fácil fazer isso. Mas as mães também são ajudadas por uma abordagem diferente à feminilidade, à culpa e ao tempo livre. A visão que reina na França é a de que, se o filho for o único objetivo da mulher, todos sofrem, incluindo a criança. Nem todas as mães francesas conseguem manter o *équilibre* certo. Mas elas o mantêm em mente.

cherchez la femme

74. A culpa é uma armadilha

A culpa pode ser como um imposto que você paga por ficar longe do filho. Compra um pouco de tempo livre. Desde que sinta culpa por deixá-lo, você pode escapar por algumas horas. (Os sociólogos chamam esse tempo de lazer que você passa se preocupando de "tempo contaminado".)

As mães francesas compreendem a tentação de sentirem culpa. Mas não querem estragar o precioso tempo livre. Em vez de abraçar a culpa, elas tentam afastá-la. Quando se encontram para drinques, elas lembram umas às outras que "a mãe perfeita não existe" e sentem orgulho de conseguirem se afastar dos filhos e relaxar. "Quando estou presente, dou cem por cento de mim, mas quando estou longe, estou longe", explica uma mãe com três filhos.

75. Mostre aos filhos que você tem uma vida independente deles

Não basta as mães francesas terem prazeres e interesses que não sejam os filhos. Elas também querem que os filhos saibam sobre isso. Elas acreditam que é um peso para a criança sentir que é a única fonte da felicidade e satisfação da mãe. (Uma mãe solteira que conheço em Paris me contou que estava voltando a trabalhar em parte pelo bem da filha.)

As mulheres francesas querem que os outros adultos vejam que elas também têm vidas em que não são mães. Mesmo que tenham passado o dia dobrando pequenos pares de meias, elas lutam para não ficar falando o tempo todo sobre os hábitos intestinais dos filhos. Elas sabem que se você age (e se veste) como se tivesse uma vida interior fascinante, pode acabar descobrindo que tem mesmo e que se sente mais equilibrada como resultado disso.

Há motivos pragmáticos para se ter uma vida sua. Algumas francesas saem do mercado de trabalho quando têm filhos, mas a maioria não. Mesmo as que estão em casamentos estáveis calculam que não ganhar dinheiro próprio as deixaria financeiramente vulneráveis em caso de divórcio. E pensam que, sem contracheque, vão perder status e o poder de tomada de decisão em casa, e se tornarão pessoas menos interessantes fora dela.

76. Não vá a aniversários de criança

Eles são para as crianças. Em Paris, a partir de uns 3 anos, as festas e encontros para brincar costumam ser para você deixar seu filho e ir buscar depois. Os pais sentem que não precisam supervisionar enquanto outro adulto supervisiona o filho deles, nem ficam por perto para tranquilizá-lo. Eles se certificam de que ele está em boas mãos e vão embora. Normalmente, são convidados a voltar para um café ou coquetéis no final. É uma forma prática de lidar com o fato de que todos os pais são muito ocupados e que, apesar de ficarmos felizes por nossos filhos se darem bem, nós não somos amigos de verdade.

77. Perca o peso que ganhou na gravidez

Para as mulheres francesas, não há prova melhor de que não se transformaram de "*femme*" em "*maman*" do que voltar à forma física de antes do bebê, ou alguma aproximação razoável dela. As parisienses costumam almejar chegar a isso no terceiro mês pós-parto.

Ajuda o fato de elas não ganharem muito peso quando estão grávidas e não viverem permanentemente exaustas de acordar à noite várias vezes. Muitas mães francesas também seguem uma dieta de não privação como algo natural. Durante a semana, comem porções menores, fazem a refeição principal no almoço, não beliscam entre refeições e evitam pão, massas e alimentos com açúcar. Mas, nos fins de semana (ou em um dia do fim de semana), elas comem livremente. Em outras palavras, elas não juram nunca mais comer lasanha nem croissants; apenas deixam para ocasiões especiais. As mulheres francesas estão sintonizadas com pesquisas recentes que mostram que as pessoas têm mais autocontrole quando não excluem permanentemente certos alimentos; elas apenas dizem para si mesmas que vão comer depois. Estudos também recomendam monitorar o peso com atenção (as francesas chamam de "prestar atenção").

78. Não se vista como mãe

A não ser que a francesa esteja com o bebê no colo, normalmente é bem difícil saber se ela é mãe. Não há visual óbvio nem tipo de roupa. Elas não se vestem de forma sexy para compensar de forma extrema (na França não há motivo para uma mulher não ser sexy). Mas elas também não andam por aí usando calça de moletom e elásticos fofinhos no cabelo. O que procuram é um terreno intermediário e elegante. As francesas não se sentem egoístas por cuidarem da aparência. (Numa edição francesa da *Marie Claire*, uma mãe de três filhos confessa que às vezes está tão ocupada *que usa calcinha e sutiã sem combinar*.) Ficar bonita melhora o humor e deixa você se sentindo mais equilibrada. Apenas isso.

79. Não se torne a "mãe táxi"

As mães parisienses acham perfeitamente razoável pesar o impacto na qualidade de vida delas quando fazem escolhas para o filho. Uma francesa que passa a maior parte do tempo livre levando os filhos de uma atividade extracurricular para outra não é vista como mãe dedicada, é vista como alguém que perdeu o equilíbrio de forma dramática. O sacrifício dela nem é considerado bom para os filhos. Sim, eles podem se beneficiar de aprender judô e fazer aula de piano. Mas também precisam ter tempo ocioso em casa. Um psicólogo francês diz que há uma diferença crucial entre ser receptivo e atencioso ao filho e se tornar uma "máquina" que está sempre ligada.

80. Você pode ser mais feliz do que seu filho menos feliz

Pode mesmo. Não significa que você é uma pessoa ruim. Significa que é uma pessoa distinta com necessidades e temperamento próprios. As mães francesas são profundamente afetadas pelos sentimentos dos filhos. Mas elas acreditam que é melhor responder a uma criança chateada com objetividade e calma. Você está dando o exemplo quanto à maneira como quer que ela se sinta.

Capítulo nove

Encontrar seu par

Os especialistas franceses dizem que, nos primeiros meses depois de o bebê nascer, os pais devem — enfaticamente — se entregar para os cuidados dele. Eles estão na fase *fusionelle* (fusão). Alguns chamam, com certa pompa, de primeiros cem dias.

Mas, em algum momento por volta da marca dos três meses, os pais devem gradualmente abrir espaço para o relacionamento deles de novo. Não há agenda fixa. Ninguém espera que eles abandonem o bebê e pulem em um voo para Bali. É mais um reequilíbrio no qual eles "reaprendem a silhueta da intimidade", tanto física quanto emocionalmente, e abrem espaço no lar da família para poder ser um casal.

81. Seu bebê não substitui seu marido

Ele é fofo, é adorável e sua mãe o ama. Mas seu filho não deve empurrar sempre seu parceiro para fora de cena. "A família é baseada no casal. Se ela existe só por meio dos filhos, acaba murchando", explica um psicólogo francês. Em algumas famílias, a marca dos três meses é quando o bebê vai dormir no quarto dele. (Até então, ele pode dormir em um bercinho no quarto dos pais ou até mesmo na cama deles.) Cama compartilhada por períodos mais longos é muito raro na França, em parte porque impede que as coisas entre o pai e a mãe voltem ao normal.

Os franceses são famosos por acreditarem que todas as pessoas saudáveis (velhos, feios e até pais que acabaram de ter filhos) têm desejo sexual. Uma revista famosa sobre educação infantil diz que, se sua libido não voltou entre o quarto e o sexto mês pós-parto, você deve procurar ajuda profissional.

82. Seu quarto é seu castelo

Cuide dele com cuidado. Seu filho não tem o direito de entrar sempre que quiser. Para começar, você precisa dormir. Explique que de manhã ele deve brincar no quarto até estar muito claro lá fora (ou ensine-o a olhar um relógio digital e explique que só pode entrar depois que o primeiro número for um oito, ou sete nos dias de escola).

Também é importante que ele entenda, por meio de gestos carinhosos e portas fechadas, que tem uma parte da vida dos pais que não o envolve. "O quarto dos meus pais era um lugar sagrado, ao contrário do resto da casa", lembra uma francesa. "Não se entrava de repente, era preciso ter um bom motivo. Entre eles havia um prazer óbvio que implicava uma coisa desconhecida para nós, os filhos." Se seu filho acredita que já tem tudo, que não há um misterioso mundo adulto para desejar, por que se daria ao trabalho de crescer?

83. Veja com clareza o impacto dos filhos em um relacionamento

Os franceses babam por bebês, mas também falam sobre "*le baby-clash*", o risco de os casais se separarem nos dois primeiros anos, pelo choque de se tornarem pais e perderem a liberdade. Os especialistas não têm solução mágica, mas dizem que ajuda se preparar ("Não somos nós, querido, é o *le baby-clash*!") e discutir os problemas um com o outro. Reacender a intimidade também ajuda, assim como dividir as tarefas com o bebê.

84. Finja concordar

Independentemente do quão mal-orientadas as proclamações do seu parceiro sobre as regras da casa possam estar, não o contradiga na frente das crianças. Espere e converse em particular. Ele deve fazer o mesmo com você. Você vai desenvolver cumplicidade com seu cônjuge. E como as regras não estão abertas à discussão, elas terão mais força. Vocês dois parecerão mais autoritários aos olhos dos filhos, e eles ficarão tranquilos com a impressão de que há algo sólido no núcleo da família.

85. Meio a meio não é o padrão ouro

A sensação de que deve haver igualdade absoluta nos trabalhos de casa e nos cuidados com os filhos pode ser receita de ressentimento e raiva. A divisão meio a meio raramente acontece. Tente equilibrar sua teoria feminista com certo pragmatismo antiquado francês. As francesas adorariam que os companheiros fizessem mais, mas muitas aceitam uma divisão de trabalho que não é igualitária, mas que funciona mais ou menos. Elas tentam pesar a igualdade com ter um marido calmo e desestressado depois da partida de futebol do sábado de manhã. E descobriram que há menos conflito quando todos têm suas próprias tarefas em casa, mesmo que as horas envolvidas não sejam iguais. Paradoxalmente, se você está menos zangada, pode querer fazer mais sexo, e ele pode fazer mais coisas em casa como resultado.

86. Trate os homens como uma espécie diferente

Tire o peso da desigualdade ainda mais tratando os homens como muitas francesas tratam, como criaturas adoráveis e desafortunadas que, na maioria dos casos, são biologicamente incapazes de acompanhar o calendário de vacinação dos filhos. É claro que eles chegam em casa com o cereal errado e com morangos que parecem ter levado uma surra de martelo. São homens! Não conseguem fazer diferente. (Uma francesa me contou com exasperação fingida que o marido só arruma o lado dele da cama.) As francesas aconselham tentar não dar um chilique quando você chega de uma viagem de trabalho e encontra a casa invadida por roupa suja. É possível que o pobre coitado estivesse se esforçando.

87. Homens, elogiem a mãe por dominar as coisas mundanas

Séculos de galanteios ensinaram aos homens franceses que nunca é demais elogiar uma mulher. Eles tentam compensar as falhas em casa mostrando admiração pelas tarefas chatas e longas que as parceiras executam e confessando que fazer tantas coisas é impossível para eles. (Quando dito de forma galante, isso parece menos condescendente do que é de se esperar.) Se a mulher não tem um emprego fora de casa, os franceses têm a sabedoria de nunca perguntar: O que você *fez* o dia todo?

88. Mantenha uma aura de mistério

Não tenha um caso extraconjugal nem faça coisas terríveis em segredo (você pode ficar surpreso de saber que os cidadãos franceses comuns raramente traem; são os presidentes franceses que costumam ser terrivelmente infiéis). Mas mantenha uma aura de mistério no seu casamento, *à la française*. Permita insinuações, olhares sugestivos e coisas que não são ditas. Também não tem problema flertar com outros. Perceba que, ao contrário dos roteiros de Hollywood, você pode se sentir energizado por interações assim sem que elas levem inexoravelmente a adultério e morte.

89. Torne as noites um momento dos adultos

Depois das histórias, músicas e aconchegos, os pais franceses são firmes quanto à hora de dormir. Eles acreditam que ter momentos sem os filhos à noite não é um privilégio ocasional; é um direito humano fundamental. O mesmo acontece com uma saída noturna de vez em quando ou uma fuga para um restaurador fim de semana prolongado *à deux*. Os franceses não têm nada similar a uma "noite a dois". Quando podem, eles apenas saem, assim como nossos pais faziam. Eles consideram um casamento sólido e amoroso como sendo essencial para o funcionamento feliz de toda a família. Explique isso com sinceridade para os filhos; eles vão entender.

90. Não monte uma barraca na sala de estar

Os franceses sabem que é difícil apreciar o momento adulto quando você tem que olhar para uma cozinha de brinquedo. Eles não costumam deixar os brinquedos e jogos dos filhos ficarem permanentemente na sala de estar. Tenha um ritual familiar de guardar tudo no quarto das crianças antes da hora de dormir. Tenha uma caixa (que não seja colorida) na sala onde possa esconder Legos perdidos e extremidades de bonecas. Não deixe que o tema da decoração da sua sala seja a proteção para a segurança dos bebês.

Capítulo dez

Apenas diga "*non*"

Um grito de guerra da criação francesa é: Sou eu quem decide (*C'est moi qui décide*). Os pais dizem (e ocasionalmente gritam) essa frase para lembrar a todos quem está no comando ou para mudar o equilíbrio de poder a favor deles novamente. Apenas expressar a ideia é fortalecedor. (Experimente dizer isso, mesmo em francês. Você vai sentir sua coluna se empertigar.)

Para ser quem toma as decisões, você não precisa ser um ogro. Os pais franceses não querem transformar os filhos em robôs obedientes. Mas ainda concordam com a argumentação de Jean-Jacques Rousseau, feita 250 anos atrás, de que negociações perpétuas são ruins para os filhos. "A pior educação é deixá-lo flutuando entre a vontade dele e a sua e disputar infinitamente com você qual dos dois vai mandar."

91. *Diga "não" com convicção*

Os franceses não inventaram o *non*. Mas são muito bons em dizê-lo. Eles não têm medo de que limitar uma criança vai limitar a criatividade nem esmagar o espírito dela. Eles acreditam que as crianças florescem melhor dentro de limites, e que é tranquilizador saber que um adulto está guiando o barco.

O *non* francês é convincente em parte porque os pais não dizem sempre. Eles acreditam que alguns *nãos* estrategicamente administrados têm melhor chance de serem absorvidos pelas crianças do que uma montanha deles. Eles são consistentemente rígidos quanto a algumas coisas essenciais.

Mas o verdadeiro segredo é a manifestação não ambivalente. As crianças conseguem perceber quando você realmente quer dizer não e não vai mudar de ideia. Você não precisa gritar. Apenas olhe diretamente para a criança, ajoelhe-se se precisar e explique a regra com confiança, calmamente. Isso exige um pouco de prática. Quando você acertar o seu *não*, vai sentir. Não vai apenas soar mais autoritário para seu filho; você vai realmente acreditar que é o chefe.

92. Diga "sim" com o máximo de frequência que puder

Os franceses acreditam que outra chave para ter autoridade com seu filho é dizer sim com o máximo de frequência possível. (Um especialista observa que *autoridade* tem a mesma raiz de *autorizar*.) É preciso fazer uma recalibragem para tornar o sim sua resposta automática. Mas fazer isso tem efeito tranquilizador. A criança se sente mais respeitada e pode satisfazer a necessidade de fazer as coisas sozinha. É claro que a liberdade total seria sufocante. O cenário ideal francês é que a criança peça permissão para fazer, e a mãe ou o pai concordem.

93. Explique o motivo por trás da regra

Quando você disser não, deve sempre explicar por quê. Você não quer botar medo no seu filho para que ele obedeça. Na verdade, quer criar um mundo coerente e previsível para ele e mostrar que respeita a autonomia e inteligência dele.

Se a situação for perigosa, aja primeiro e dê o motivo depois. Sempre seja direto: você não quer que sua explicação soe como uma negociação (porque não é). Às vezes, ajuda relembrar as regras aos filhos. Uma mãe francesa diz que, assim que entra no supermercado, lembra às duas filhas que elas estão lá para comprar artigos necessários para a casa, não brinquedos nem doces. Ela diz que tem sido tão consistente na regra que as meninas nem pedem mais essas coisas. (Elas têm a opção de comprar com a mesada.)

Quando falam com os filhos, os pais franceses costumam usar a linguagem dos direitos: "Você não tem o direito de morder Pierre." Isso implica que existe um sistema coerente de regras e que a criança *tem* direito de fazer outras coisas.

94. Às vezes, seu filho vai odiar você

Os psicólogos franceses dizem que os desejos dos filhos são praticamente infinitos. Seu trabalho como pai ou mãe é impedir essa corrente dizendo não às vezes. A criança provavelmente vai ficar zangada quando você fizer isso. Pode até odiar você temporariamente. Isso não é sinal de que você é um pai ou mãe terrível. "Se um dos pais não estiver presente para impedir a criança, é ela que vai ter que se impedir ou não se impedir, e isso provoca muita ansiedade", explica um psicólogo. Em outras palavras, se você precisa que seu filho goste de você o tempo todo, simplesmente não vai ser capaz de fazer seu trabalho. Seja forte, e, como os franceses dizem, seu filho vai "encontrar o lugar dele".

95. Desdramatize

Essa palavra surge muito na França quando a questão é lidar com crianças aborrecidas ou mal-humoradas de todas as idades. A ideia é você tirar parte da intensidade dos momentos de conflito reagindo calmamente a eles ou aliviando o humor com uma piada.

Evite castigar seu filho na frente dos outros. Uma mãe francesa me contou que desconfiou que a filha adolescente estava fumando quando uma amiga foi dormir na casa dela, mas esperou que a amiga fosse embora de manhã para tocar no assunto. "Se você fizer uma cena, seu filho vai parar de falar com você", explicou ela.

Almeje ter autoridade sem perder a ligação com a criança. Se você está tão zangado que precisa de tempo para se acalmar, explique isso. "Acho que o mundo das crianças não é tão distante do mundo dos adultos. Elas são capazes de entender tudo", disse essa mãe.

96. Você não está castigando, está educando

Na próxima vez que seu filho falar com a boca cheia de macarrão, lembre-se de que está ensinando gradualmente os modos à mesa, da mesma forma que ensinaria matemática. Em outras palavras, o aprendizado não acontece todo de uma vez. Como os franceses dizem, você não está castigando, está dando uma *éducation* à criança, um processo contínuo que começa quando os filhos são muito pequenos. Ao contrário do castigo, a *éducation* (que não tem nada a ver com ir à escola) é uma coisa que os pais se imaginam fazendo o tempo todo. Lembrar a si mesmo que você está educando vai ajudar você a se sentir menos desrespeitado e zangado quando um pedaço de pepino cair no seu colo.

Não pule em cima do seu filho a cada delito. Os franceses chamam um pequeno ato de travessura de *bêtise* (pronunciado bê-tíze). Ter essa palavra ajuda a manter o crime em perspectiva. Quando seu filho pular no sofá ou roubar um pedaço de pão da bancada antes do jantar, ele só fez uma *bêtise*. Todas as crianças fazem isso de tempos em tempos. Guarde as punições para os crimes. Vai ajudar seu filho a aprender o que é importante.

97. Faça os grandes olhos

Na França, uma resposta apropriada a uma *bêtise* é fazer "os grandes olhos" para a criança. É uma expressão reprovadora de cara de coruja que serve de aviso. Significa que você viu o que ela fez e que ela deve tomar cuidado. "O importante é ela saber que está violando uma regra", me disse uma mãe.

98. *Dê tempo para as crianças cumprirem*

Você tem uma família, não um batalhão militar. Não espere que seu filho pule assim que você der uma ordem. Explique o que gostaria que ele fizesse, então observe e espere que cumpra. Obviamente, você está fazendo pressão. Mas também quer dar a ele autonomia de como e em que velocidade ele cumpre. Há maior chance de ser uma lição aprendida se ele sentir que também tem participação no assunto.

99. *Puna raramente, mas dê a devida importância a isso*

Ser *puni* (punido) em uma família francesa é uma coisa importante. Não é algo que acontece todas as noites no jantar. Os especialistas dizem que a punição deve ser administrada imediatamente e com firmeza, sem maldade. Os pais costumam mandar a criança travessa para o quarto para "marinar", ou pensar sobre o assunto, e mandam sair quando está calma e pronta para conversar. Com crianças mais velhas, a punição costuma ser dias sem TV, computador ou video game, ou confiscar o celular por uma semana. Os pais dizem que tomam o cuidado de avisar os filhos antes de puni-los e de cumprir as ameaças. Eles também tentam ser justos, por exemplo, devolvendo o celular no dia prometido. Depois de um conflito, eles dizem que é papel dos pais restabelecer a ligação, sugerindo, por exemplo, jogar um jogo favorito juntos. Ensine à criança que depois da tempestade vem a calmaria.

100. Às vezes, não há nada que você possa fazer

Saiba quando ceder. Há momentos em que nada dá certo e você precisa esperar. Lembre-se, educar é uma missão de longo prazo. Não é preciso vencer todas as batalhas.

Receitas favoritas das creches parisienses

Os pratos a seguir são consumidos por crianças de 3 anos ou menos que frequentam as creches públicas parisienses. Costumam ser todos preparados na creche por cozinheiros de cada instituição, depois servidos em quatro etapas compostas de entrada, prato principal com acompanhamento, queijo e fruta de sobremesa (crianças com menos de um ano costumam comer só em duas etapas). Uma nutricionista adaptou as quantidades para jantares de família; cada receita serve dois adultos e duas crianças.

ENTRADAS E ACOMPANHAMENTOS

Carottes Râpées à L'orange

Cenoura ralada com laranja

Este prato pode ser preparado logo antes de servir ou deixado marinando à noite.

3 cenouras
2 colheres de sopa de óleo de canola
suco de 1 laranja
1/8 de dente de alho esmagado
uma pitada de sal

Rale as cenouras.

Misture o óleo, o suco, o alho e o sal em uma tigela pequena.

Derrame essa mistura sobre as cenouras raladas e misture.

Veloute D'artichaut à La Crème

Sopa cremosa de alcachofra

1 batata grande
2 chalotas* bem picadas
2 colheres de sopa de azeite
6 fundos de alcachofra enlatados ou em conserva, picados
água (cerca de 2 xícaras)
sal
2 colheres de sopa de creme de leite fresco (ou creme azedo)
ervas (salsa, manjericão ou coentro) picadas

Lave e descasque a batata. Corte em pedaços grandes.

Em uma panela ou caçarola grande, refogue as chalotas com um pouco de azeite.

Acrescente as batatas e as alcachofras. Refogue-as por 2 ou 3 minutos.

Cubra os ingredientes com água, acrescente um pouco de sal e cozinhe por cerca de 40 minutos (ou 20 minutos em panela de pressão).

Depois de cozinhar, acrescente o creme e misture bem. Se preferir consistência lisa, use um mixer de mão para bater a sopa.

---

* As chalotas são um tipo de cebola com sabor mais delicado, parecem cebolas em miniatura. Se não encontrar, experimente substituir as duas chalotas por uma cebola roxa bem pequena. A cebola roxa também tem um sabor mais suave que a cebola comum.(N. da E.)

Mantenha a sopa aquecida até a hora de comer. Acrescente uma pitada de ervas picadas antes de servir.

Brocoli Braisé

Brócolis refogado

meio quilo de brócolis, fresco ou congelado
sal
1 colher de sopa de manteiga sem sal

Se os brócolis estiverem frescos, cozinhe no vapor por 4 a 5 minutos ou mergulhe em água fervente por 5 a 6 minutos. Se os brócolis forem congelados, cozinhe no vapor por 8 a 10 minutos ou mergulhe em água fervente por 10 a 12 minutos. Os brócolis devem ficar firmes, não moles. Guarde um pouco da água do cozimento. Escorra bem os brócolis e acrescente algumas pitadas de sal.

    Derreta a manteiga em uma frigideira. Refogue os brócolis na manteiga em fogo médio por 5 minutos, até estarem macios. Se os brócolis ainda estiverem firmes demais, umedeça com um pouco da água do cozimento.

PRATOS PRINCIPAIS

Potage Complet Lentilles
Sopa de lentilha completa

2 chalotas picadas
azeite
2 xícaras de lentilha
2 batatas médias descascadas, lavadas e cortadas em pedaços médios
5 xícaras de água fria
1 dente de alho picado
pimenta-do-reino
½ colher de chá de cominho
2 cenouras médias descascadas
sal
¼ de xícara de creme de leite fresco (ou creme azedo)
60 gramas de peito de frango sem osso cortado em tiras finas
salsa picada

Em uma panela grande, refogue as chalotas com um pouco de azeite. Acrescente as lentilhas e as batatas e cubra com a água fria. Acrescente o alho, a pimenta-do-reino, o cominho e as cenouras.

Ferva, coloque a tampa e deixe em fogo médio por 45 minutos ou até as batatas e lentilhas estarem macias. Acrescente mais água se necessário. Tempere com sal. Coloque o creme de leite fresco (você pode acrescentar menos creme se quiser, ou só acrescentar uma colherada generosa na tigela na hora de servir). Enquanto as lentilhas cozinham, use uma frigideira para dourar o frango com um pouco de azeite. Sirva a sopa em pratos fundos e acrescente um pouco do frango e uma pitada de salsa em cada prato.

Saumon à La Créole

Salmão creole

Este prato se tornou essencial nas creches parisienses graças aos muitos chefs que vieram das Antilhas francesas.

1 cebola média picada
1 ½ colheres de sopa de óleo de girassol ou azeite
400 gramas de tomates picados, enlatados ou frescos
½ colher de chá de tomilho picado
1 folha de louro
salsa picada
sal e pimenta
3 a 4 filés de salmão de tamanho médio, frescos ou congelados
suco de 1 limão

Preaqueça o forno a 200°C.

Em uma panela grande, refogue a cebola no óleo/azeite.

Acrescente os tomates, o tomilho, a folha de louro e o sal e a pimenta. Tampe e deixe cozinhar por 15 minutos.

Coloque os filés de salmão em uma panela que possa ir ao forno. (Se estiver usando filés congelados, descongele-os primeiro em um forno de micro-ondas.)

Esprema o suco de limão sobre o salmão e espalhe a mistura de tomate por cima com uma colher. Asse no forno por 20 a 30 minutos, ou até estar bem cozido. Antes de servir, retire todas as espinhas e a folha de louro e acrescente uma pitada de salsa ou cebolinha picada a cada prato. Sirva o salmão com arroz e um acompanhamento de verduras ou legumes (brócolis refogado é uma boa recomendação).

Flan de Courgettes
Torta de abobrinha

3 abobrinhas médias
2 chalotas bem picadas
2 colheres de sopa de azeite
4 ovos
um pouco menos de 1 xícara de creme de leite fresco (ou creme azedo)
¼ de colher de sopa de sal
¼ de colher de sopa de noz-moscada ralada
¾ de xícara de queijo ralado (Gruyère ou suíço)

Preaqueça o forno a 180°C.

Lave e descasque as abobrinhas. Cozinhe-as inteiras, no vapor por 9 minutos ou mergulhadas em água fervente por 15 minutos.

Escorra bem as abobrinhas. Corte em fatias redondas finas.

Refogue as chalotas com o azeite.

Em uma tigela, misture os ovos, o creme de leite fresco, as chalotas, o sal e a noz-moscada. Não misture demais.

Cubra uma assadeira quadrada ou retangular com papel-manteiga (se você tiver).

Monte uma camada de abobrinha no fundo da assadeira.

Com uma colher, coloque a mistura de ovos por cima da abobrinha até estar completamente coberta. Acrescente outra camada de abobrinha e cubra de novo com a mistura de ovos. Continue fazendo isso até ter usado todos os ingredientes.

Polvilhe o queijo por cima e asse por 30 a 40 minutos.

Opcional (mas altamente recomendável): cubra cada porção da torta de abobrinha com um pouco de molho concentrado quente de tomate (veja receita a seguir).

Molho concentrado de tomate

4 tomates maduros grandes (ou cerca de 300 gramas de tomates em lata picados)
3 colheres de sopa de azeite
1 dente de alho descascado e inteiro
½ colher de sopa de tomilho picado
½ colher de sopa de salsa picada
1 folha de louro
½ colher de sopa de açúcar
sal e pimenta

Se for usar tomates frescos: corte a pele na base dos tomates e mergulhe em água fervente por 30 segundos, para poder removê-la com facilidade. Descasque, tire as sementes e pique.

Aqueça o óleo em uma panela. Acrescente o alho, o tomilho, a salsa, a folha de louro, os tomates, o açúcar e o sal e pimenta. Tampe e deixe ferver em fogo baixo por 20 a 30 minutos.

Tire o dente de alho e a folha de louro antes de servir.

receitas favoritas das creches parisienses

SOBREMESAS

Purée de Poire et Banane
Purê de pera e banana

2 peras grandes ou 3 pequenas, macias
2 bananas
suco de ½ limão
¼ de xícara de água

Lave e descasque as peras e as bananas. Corte em pedaços.

Em uma panela média, cozinhe as frutas com o suco de limão e água por 15 a 20 minutos em fogo baixo. Misture ocasionalmente com uma colher.

Tire a mistura do fogo e deixe esfriar por alguns minutos.

Quando não estiver mais soltando fumaça, coloque em pequenas tigelas. Cubra e refrigere até a hora da refeição.

Pomme au Four à la Cannelle

Maçã assada com canela

4 maçãs (qualquer maçã que dê para ser assada)
1 1/3 colher de sopa de manteiga sem sal
4 colheres de chá de açúcar
canela

Preaqueça o forno a 180°C.

Lave e tire o miolo das maçãs (deixe um pedaço de miolo no fundo se puder).

Coloque um pedaço de manteiga e uma colher de chá de açúcar no centro de cada maçã. Polvilhe canela em cima.

Coloque uma camada de menos de meio centímetro de água em uma assadeira (para impedir que as maçãs grudem) e ponha as maçãs.

Asse por 20 a 30 minutos, até o centro das maçãs derreter.

Retire as maçãs da água. Sirva quentes ou frias.

Gâteau Chocolat
Bolo de chocolate

manteiga e farinha de trigo para untar a forma
140 gramas de chocolate amargo para culinária
7 colheres de sopa de manteiga sem sal (um pouco menos de um tablete)
6 colheres de sopa de açúcar de confeiteiro
6 colheres de sopa de farinha de trigo
3 ovos grandes ou 4 pequenos, gemas e claras separadas
sal
opcional: chantilly ou creme de leite fresco

Preaqueça o forno a 180°C. Unte com manteiga e polvilhe com farinha de trigo uma assadeira redonda de 22 centímetros.

Em uma panela, sobre fogo muito baixo, derreta lentamente o chocolate e a manteiga.

Retire o chocolate derretido do fogo. Enquanto mistura com uma colher de pau, acrescente o açúcar de confeiteiro e depois a farinha. Acrescente as gemas dos ovos uma a uma e mexa.

Em uma tigela separada, bata as claras dos ovos com uma pitada de sal até fazer picos firmes.

Misture delicadamente as claras em neve à massa de chocolate. Não misture demais.

Coloque imediatamente a massa na assadeira. Asse por 30 minutos.

Deixe o bolo esfriar. Sirva com uma porção generosa de chantilly.

Amostra de cardápio semanal de almoço nas creches parisienses

	Entrada	Prato principal
SEGUNDA-FEIRA		
MENORES DE 12 MESES		filé de merluza sem espinha amassado com molho de limão
12 A 18 MESES	salada de tomate com limão e ervas	filé de merluza sem espinha picado com molho de limão
18 MESES A 3 ANOS	salada de tomate com limão e ervas	filé de merluza sem espinha com molho de limão
TERÇA-FEIRA		
MENORES DE 12 MESES		peru amassado com molho de manjericão
12 A 18 MESES	sopa cremosa de alho-poró	peru picado com molho de manjericão
18 MESES A 3 ANOS	sopa cremosa de alho-poró	peru picado com molho de manjericão
QUARTA-FEIRA		
MENORES DE 12 MESES		cordeiro cozido lentamente amassado com cenoura e tomate
12 A 18 MESES	repolho roxo ralado com queijo branco macio (*fromage blanc*)	cordeiro cozido lentamente picado com cenoura e tomate
18 MESES A 3 ANOS	repolho roxo ralado com queijo branco macio (*fromage blanc*)	cordeiro cozido lentamente com cenoura e tomate
QUINTA-FEIRA		
MENORES DE 12 MESES		presunto bem picadinho
12 A 18 MESES	salada macedônia (vagem, cenoura, aipo e feijão *flageolet* com molho de limão)	presunto picado
18 MESES A 3 ANOS	salada de trigo, tomate e pimentão verde	gratinado de endívia e presunto
SEXTA-FEIRA		
MENORES DE 12 MESES		filé de salmão sem espinha amassado com molho de limão e endro
12 A 18 MESES	salada de cenoura orgânica ralada fina	filé de salmão sem espinha picado com molho de limão e endro
18 MESES A 3 ANOS	salada de cenoura orgânica ralada	filé de salmão sem espinha com molho de limão e endro

Acompanhamento	Queijo	Sobremesa
purê de espinafre orgânico		purê de maçã e morango sem açúcar
purê de espinafre orgânico	queijo coulommiers (um queijo macio de leite de vaca que parece brie)	purê de maçã e morango sem açúcar
espinafre orgânico com molho branco	queijo mimolette (um queijo laranja duro de leite de vaca)	purê de maçã e morango sem açúcar
purê de abobrinha		purê de pera e maçã orgânica sem açúcar
purê de abobrinha	queijo chanteneige (um queijo branco cremoso)	kiwi fresco
ratatouille com arroz	queijo chanteneige	kiwi fresco
purê de cogumelo		doce de banana e ruibarbo com açúcar
purê de cogumelo	queijo branco Tomme (um queijo firme de leite de vaca)	doce de banana e ruibarbo com açúcar
couscous marroquino	queijo branco Tomme	doce de banana e ruibarbo com açúcar
purê de endívias frescas		purê de tangerina e maçã orgânica cozidas
purê de endívias frescas	queijo roquefort	tangerina fresca
	queijo roquefort	tangerina fresca
purê de brócolis		purê de maças orgânicas cozidas
purê de brócolis	*chèvre* (queijo de leite de cabra)	maçãs orgânicas assadas
macarrão parafuso com manteiga	*chèvre* (queijo de leite de cabra)	maçãs orgânicas assadas

Agradecimentos

Este livro existe graças a Ann Godoff, Suzanne Gluck, Marianne Velmans e Virginia Smith — que editou o manuscrito corajosamente enquanto estava presa se protegendo de um furacão. Agradeço à nutricionista Sandra Merle, da Direction des Familles et de la Petite Enfance, em Paris, por ceder as receitas e por tolerar minhas muitas perguntas sobre elas. Também estou agradecida a Claire Smith, que trabalhou incansavelmente para testá-las (e à bebê Kate e aos outros, que tiveram que comê-las). Meus agradecimentos vão também para Adam Kuper e Sapna Gupta pelos comentários no manuscrito, e a Sarah Hutson, Aislinn Casey e Kate Samano. À minha infatigável ilustradora, Margaux Motin: obrigada por fazer minhas pernas parecerem ter o dobro do comprimento que realmente têm.

Sou extremamente grata aos leitores de *Crianças francesas não fazem manha* que escreveram para mim enviando perguntas, comentários, histórias e encorajamentos. O entusiasmo de vocês inspirou este livro. *Merci* aos muitos pais franceses que permitiram que eu fizesse perguntas e observasse-os em seus habitats, incluindo Frédérique Souverain, Ingrid Callies, Christophe Delin, Solange Martin, Esther Zajdenweber, Cécile Agon, Christophe Dunoyer, Aurèle Cariès, Benjamin Barda e Véronique Bouruet-Aubertot.

O paradoxo de escrever um livro sobre criação de filhos é que você deve evitar a própria família para poder terminá-lo. Minha gratidão eterna vai para Bonnie e Hank. Obrigada a vocês, Leo, Leila e Joey, pela paciência (e amor). Mais do que tudo, obrigada a Simon, o pai deles e meu marido. *Après toi, le déluge* (depois de você, o dilúvio).

Bibliografia

Badinter, Elisabeth. *Um amor conquistado: o mito do amor maternal*. Rio de Janeiro: Nova Fronteira, 1998.

Baumeister, Roy F. e John Tierney. *Força de vontade: a redescoberta do poder humano*. São Paulo, 2012.

Bloom, Paul. "Moral Life of Babies." *New York Times Magazine*, 3 de maio de 2010. www.nytimes.com/2010/05/09/magazine/09babies-t.html?pagewanted=all.

Bronson, Po e Ashley Merryman. *Filhos — novas ideias sobre educação*. São Paulo: Lua de Papel, 2010.

Brunet, Christine e Nadia Benlakhel. *C'est pas bientôt fini ce capriche? Les calmer sans s'énerver*. Paris: Albin Michel, 2005.

Carroll, Raymonde. *Cultural Misunderstandings: The French-American Experience*. Chicago: University of Chicago Press, 1990.

Delahaye, Marie-Claude. *Livre de bord de la future maman*. Paris: Marabout, 2007.

De Leersnyder, Hélène. *L'Enfant et son sommeil*. Paris: Robert Laffont, 1998.

Dolto, Françoise. *Quando os filhos precisam dos pais: respostas a consultas de pais com dificuldades na educação dos filhos*. São Paulo: Martins Fontes, 2008.

Dolto, Françoise e Danielle Marie Lévy. *Parler juste aux enfants*. Paris: Galimard, 2002.

Famili.fr. "La reprise de la sexualité après bébé." http://www.famili.fr/,la--reprise-de-la-sexualite-apres-bebe, 438,10193.asp.

Famili.fr. "Devenir parents e rester amants?" http://www.famili.fr/,devenir-parents-et-rester-amants,599,280849.asp.

Gallais, Marie. "Impossible de s'occuper seule." *Parents*, outubro de 2012, 99-100.

Gravillon, Isabelle, et al. "Nos enfants sont-ils trop protégés?" *Enfant Magazine*, setembro de 2012, 56-57.

Haberfeld, Ingrid. "Quel est l'impact du stress sur la grossesse?" *Parents*, abril de 2012, 60-61.

Heckman, James J. "Schools, Skills and Synapses." http://www.heckmanequation.org/content/resource/prsenting-heckman-equation.

Henry, Dominique. "Il part sans vous, et c'est bon pour lui!" *Famili*, agosto/setembro de 2012, 104-106.

Kahneman, Daniel e Alan B. Krueger. "Developments in the Measurement of Subjective Well-Being." *Journal of Economic Perspectives* 20, 1 (2006): 3-24.

Marcelli, Daniel. *Il est permis d'obéir*. Paris: Albin Michel, 2009.

Marchi, Catherine. "12 conseils pour faire le Bonheur de votre enfant." *Parents*, agosto de 2010, 52-54.

Merle, Sandra, entrevista feita pela autora, 20 de setembro de 2012.

Mindell, Jodi, et al. "Behavioral Treatment of Bedtime Problems and Night Wakings in Young Children: AASM Standards of Practice." *Sleep* 29 (2006): 1263-76.

Mischel, Walter, entrevista feita pela autora, 20 de julho de 2010.

Mon Enfant à l'école maternelle. http://cache.media.education.gouv.fr/file/Espace_parents/35/9/Guide_pratique_des_parents_ecole_maternelle_227359.pdf.

National Institutes of Health. "Child Care Linked to Assertive, Noncompliant, and Aggressive Behaviors; Vast Majority of Children Within Normal Range." 16 de julho de 2003.

Ochs, Elinor e Carolina Izquierdo. "Responsibility in Childhood: Three Developmental Trajectories." *Ethos* 37, nº 4 (2009); 391-413.

Ollivier, Debra. *O que as Mulheres Francesas Sabem: Sobre Amor, Sexo e Atração*. São Paulo: Academia de Inteligência, 2010.

Pernoud, Laurence. *J'élève mon enfant*. Paris: Editions Horay, 2007.

Pinella, Teresa, e Leann L. Birch. "Help Me Make It Through the Night: Behavioral Entrainment of Breast-Fed Infants' Sleep Patterns." *Pediatrics* 91, 2 (1993): 436-43.

bibliografia

Pleux, Didier. "Enfants tyrans: un peu de bon sens!" Entrevista de Doctissimo.fr. http://www.doctisssimo.fr/html/psychologie/mag_2003/mag1024/ps_7167_enfants_tyrans_bon_sens_itw.htm.

Programme National Nutrition Santé. *La santé vient en mangeant et en bougeant.* 2004.

Rossant, Lyonel e Jacqueline Rossant-Lumbroso. *Votre Enfant: Guide à l'usage des parentes.* Paris: Robert Laffont, 2006.

Rousseau, Jean-Jacques. *Emílio, ou Da Educação.* São Paulo: Martins Fontes, 2004.

Senior, Jennifer. "All Joy and No Fun." *New York,* 12 de julho de 2010.

Sethi, Anita, Walter Mischel, J. Lawrence Aber, Yuichi Shoda e Monica Larrea Rodriguez. "The Role of Strategic Attention Deployment in Development of Self-regulation: Predicting Preschoolers' Delay of Gratification from Mother-Toddler Interactions." *Developmental Psychology* 36, 6 (novembro de 2000): 767-77.

Thirion, Marie e Marie-Josèphe Challamel. *Le sommeil, le rêve et l'enfant: De la naissance à l'adolescence.* Paris: Albin Michel, 2002.

Thompson, Caroline. Entrevista feita pela autora. 20 de abril de 2010.

Twenge, Jean M., W. Keith Campbell e Craig A. Foster. "Parenthood and Marital Satisfaction: A Meta-Analytic Review." *Journal of Marriage and Family* 65, 3 (agosto de 2003): 574-83.

Vaineau, Anne-Laure. *5 conseils pour éviter le baby-clash.* http://www.psychologies.com/Famille/Etre-parent/Equilibre-du-couple/Articles-et-Dossiers/5-conseils-pour-eviter-le-baby-clash.

Warner, Judith. "How to Raise a Child." *New York Times,* 27 de julho de 2012. http://www.nytimes.com/2012/07/29/books/review/teach--your-children-well-by-madeline-levine.html?pagewanted=all.

Winter, Pam. *Engaging Families in the Early Childhood Development Story; Neuroscience and Early Childhood Development: Summary of Selected Literature and Key Messages for Parenting.* Education Services Australia Ltd. Como entidade legal do Ministerial Council for Education, Early Childhood Development and Youth Affairs, 2010.

1ª EDIÇÃO [2014] 6 reimpressões

ESTA OBRA FOI COMPOSTA EM ADOBE GARAMOND PELA ABREU'S SYSTEM E IMPRESSA
EM OFSETE PELA LIS GRÁFICA SOBRE PAPEL PÓLEN BOLD DA SUZANO PAPEL E
CELULOSE PARA A EDITORA SCHWARCZ EM JANEIRO DE 2016

A marca FSC® é a garantia de que a madeira utilizada na fabricação do papel deste livro provém de florestas que foram gerenciadas de maneira ambientalmente correta, socialmente justa e economicamente viável, além de outras fontes de origem controlada.